Choix d'Essais
du Vingtième Siècle

D1304633

THE BLAISDELL FRENCH LITERATURE SERIES

GENERAL EDITOR   *Wallace Fowlie, Duke University*

Choix d'Essais du Vingtième Siècle

PRÉSENTÉS PAR

Germaine Brée
University of Wisconsin

Philip Solomon
Tufts University

BLAISDELL PUBLISHING COMPANY
A Division of Ginn and Company

Waltham, Massachusetts · *Toronto* · *London*

ACKNOWLEDGMENTS

We are grateful to the following publishers for permission to reprint:

Denoël. "Le Chemin brûlé," from *l'Homme foudroyé*, Volume V of *Œuvres*, by Blaise Cendrars, pp. 293–306; copyright 1945.

Editions de Minuit. "Recherches sur la technique du roman," from *Répertoire II*, by Michel Butor, pp. 88–89; copyright 1964.

Editions Seghers. "Visages," by Jean-Paul Sartre; copyright 1948.

Gallimard. "Les Arts et les dieux," Introduction to *les Dieux*, by Alain, pp. 1203–1213; copyright 1958.

"La Mer au plus près," from *l'Eté*, by Albert Camus, pp. 167–189; copyright 1954.

"En 1871," from *Recherche de la base et du sommet*, by René Char, pp. 104–105; copyright 1955.

"Dostoïevsky," by André Gide, pp. 7–47; copyright 1920.

"Le Dernier Retour," from *Un voyageur solitaire est un diable*, by Henry de Montherlant, pp. 159–177; copyright 1961.

"De la situation faite à l'histoire et à la sociologie dans les temps modernes," by Charles Péguy, pp. 991–1010; copyright 1959. [Pléiade edit.]

"Situation de Baudelaire," from *Œuvres*, by Paul Valéry, pp. 598–613; copyright 1957. [Pléiade edit., Vol. I.]

Nagel. "Littérature et metaphysique," from *l'Existentialisme et la sagesse des nations*, by Simone de Beauvoir, pp. 103–124; copyright 1948.

Foreword

During the past ten or fifteen years there has been an ever increasing need for texts of high literary value in advanced French courses in colleges and universities. The Blaisdell French Literature Series has been founded in order to help meet this need. It is planned that the majority of the books will be taken from the twentieth century, but there will also be works from the nineteenth and earlier centuries. Novels, plays, essays, and selected writings from one major writer have been chosen for the first volumes.

The literary essay has become one of the truly significant genres in the twentieth century. We are grateful to Professor Germaine Brée for consenting to edit this collection of essays and for the assistance given to her by Mr. Philip Solomon. The introduction gives some indication of the variety of forms the essay can take: the more purely literary study, such as Valéry's essay on Baudelaire; the essay on the theme of voyage, which Camus' piece from *l'Eté* illustrates; the type of essay which explores a more abstract, more philosophical theme, such as Simone de Beauvoir's *Littérature et métaphysique*.

Professor Brée, who is a member of the Institute for Research in the Humanities at the University of Wisconsin, is the author of critical studies of Gide, Proust, and Camus. She has chosen eleven essays for this volume. There is an analysis of each type of essay in the collection, with linguistic notes, brief biographies, a bibliography, and a vocabulary.

W. F.

Table des Matières

Introduction

«*O chercheur des choses, ne te contente pas
de connaître les choses telles qu'ordinairement
la nature les produit* ...» LEONARD DE VINCI

L'essai en France fit une brillante entrée en scène avec Montaigne, si brillante qu'il semble avoir d'un seul coup atteint une sorte de plénitude, décourageant les successeurs. Ce fut en Angleterre, non en France, que l'essai devait gagner droit de cité parmi les genres littéraires. Cependant, comme l'ont noté les critiques, l'essai foisonne en France, mais sous une variété d'autres étiquettes : discours, traités, considérations, rêveries. Dans les histoires de la littérature française c'est lui encore dont on traite sous de vagues rubriques : moralistes, prosateurs, «philosophes»; prose d'idées, prose lyrique, et ainsi de suite.

En général c'est assez obliquement que les critiques abordent l'essai, plutôt comme un véhicule d'idées que comme une forme d'expression littéraire. Sous des formes aussi diverses que les thèmes qu'il se donne — méditations politiques, sociales, éthiques, ou philosophiques; critique littéraire ou critique d'art; réflexions autobiographiques, élans lyriques, ou pensées sur la condition

ix

humaine — l'essai sera protéiforme, infiniment plus «lawless», mot cher à Gide, que le roman même. Pas une seule définition du genre qui ne risque un démenti immédiat. C'est pourquoi nous avons réuni sous ce titre des ouvrages fort différents, de la conférence-essai de Paul Valéry au poème-essai de René Char. Il nous a semblé que l'essai se distinguait des autres genres littéraires en ceci que l'essayiste n'est pas d'abord artiste mais, selon les mots de Léonard de Vinci, «chercheur de choses», explorateur avant tout. Le domaine exploré peut varier à l'infini. Rousseau, promeneur solitaire, suit la pente de ses rêveries et Sainte-Beuve celle de sa curiosité de «voyeur» pour qui la littérature est une voie d'entrée dans l'intimité d'autres vies, plus passionnantes que la sienne. Baudelaire, dans ses articles de journaliste, cherche à dégager les traits de l'art moderne tandis que Barrès, à la suite de Chateaubriand, «met à nu» une zone de sensibilité nouvelle, propre à sa génération. Les Encyclopédistes tirent au clair une certaine façon de penser, tandis que Sartre s'exerce à couler sa pensée dans de nouveaux moules.

Mais quel que soit le domaine où s'aventure l'essai, ce qui semble en faire la valeur, c'est la présence de l'écrivain lui-même, immédiatement perceptible dans le ton d'une voix, dans le mouvement, l'allure de l'essai. Exposer les idées d'un autre n'est pas faire œuvre d'essayiste, pas plus que ne le serait l'étude d'un sujet, quel qu'il soit, menée selon une méthode prescrite. L'essayiste engage toujours dans son ouvrage — long ou court, profondément médité ou improvisé selon sa fantaisie — une part de sa personnalité et, parfois, comme dans le cas de Montaigne, sa personnalité tout entière, que l'acte même d'écrire développe et, en fin de compte, crée.

Non que l'essayiste dise nécessairement «je». Rien de moins personnel, par la forme, que les essais de Valéry, rien cependant de plus individuel par l'esprit. Ce qui semble essentiel au genre, c'est que l'essayiste réponde de lui-même. Ce faisant il engage le lecteur directement dans son entreprise. Tout essai tend vers le dialogue, dialogue avec soi-même, avec les contemporains, avec le lecteur.

L'on pourrait, au besoin, rattacher l'essai en France à trois grands noms dont tant bien que mal relèveraient la majorité des essayistes: Montaigne, Descartes, et Pascal; essais de méditation personnelle qui suivent librement le cours d'une pensée avec ses digressions, ses doutes, ses associations imprévues; essais soigneusement organisés pour communiquer à d'autres l'essence d'une expérience, d'une conviction personnelle; essais qui se développent en coups de sonde, démasquant l'énigmatique qualité de la vie sous l'édifice rassurant des gestes habituels: médiateurs, persuasifs, métaphysiques. Ces tendances se retrouvent dans le choix que nous avons fait. Sur la lancée de Montaigne: Gide, Alain et, jusqu'à un certain point, Montherlant; sur celle de Descartes: Valéry, Simone de Beauvoir, et Michel Butor. Quoi de plus pascalien que *Visages*, l'essai de Sartre et, sous son revêtement lyrico-mythique, «la Mer au plus près» de Camus? Mais ce serait trop limiter le domaine de l'essai au vingtième siècle, riche d'une expérience ambiguë, tant poétique que réelle, que l'essai a absorbé à son profit.

Car le critère essentiel, lorsqu'il s'agit de l'essai, semble bien être la liberté d'esprit avec laquelle l'essayiste a abordé son thème. L'essai paraît alors ce qu'il fut d'emblée avec Montaigne, une pépinière de thèmes, de points de vue nouveaux, d'attitudes, de formes de pensée et d'expression qui échappent aux modèles prédominants.

Ce sont les quelques critères proposés ci-dessus qui nous ont guidés dans le choix de textes que nous présentons. Car nous avions l'embarras du choix. Les essais foisonnent au vingtième siècle et il serait à souhaiter que de nombreux autres volumes paraissent. Nous avons écarté à regret certains essais, ceux de Malraux par exemple, non parce qu'ils nous paraissaient de moindre intérêt, mais parce que largement diffusés ils sont assez bien connus. Pour d'autres raisons nous avons écarté aussi des essais tout à fait récents, et qui par ce fait même jouissent d'un certain prestige qui les signale à l'attention des critiques. Dans l'immense masse des essais que nous confrontions nous avons cherché à distinguer les voix, les thèmes, les modes de penser dont l'orchestration jetterait un peu de lumière sur les préoccupations et la sensibilité complexe et mobile d'un demi-siècle mouvementé. Nous n'avons pas cru nécessaire de reprendre les thèmes désormais familiers de «l'absurde» ou de la liberté humaine dans un univers contingent, mais plutôt explorer d'autres domaines où règne l'essai. D'où nos rubriques: critique litté-raire; voyages; méthodes et contre-méthodes; visages. Les essais que nous avons choisis ne sont pas toujours de lecture facile, mais nous espérons que l'effort en vaudra la peine. Les intro-ductions qui précèdent chaque section, les notes,[1] le vocabulaire, l'index biographique, et les courtes bibliographies faciliteront sans doute la tâche du lecteur.

Nous désirons remercier Mme Terrie Quintana de l'aide qu'elle nous a apportée dans la préparation de ce livre.

---

[1] Les notes des éditeurs sont numérotées; les notes précédées d'autres signes — astérisques, croix, etc. — sont les notes de l'auteur.

*Choix d'Essais
du Vingtième Siècle*

I Critique littéraire

Où les historiens s'arrêtent ne sachant plus rien, les poètes apparaissent et devinent.

BARBEY D'AUREVILLY

ANDRÉ GIDE, PAUL VALÉRY, René Char, et Michel Butor ne sont essayistes que secondairement, par surcroît pourrait-on dire. Sous des formes diverses l'essai pourtant tient une place honorable parmi leurs écrits. Les quatre essais que nous présentons, dictés par des circonstances particulières, sont occasionnels et n'ayant pas les mêmes visées sont très différents d'allure. La traduction, en 1908, d'un choix de lettres de Dostoïevsky fut pour Gide une occasion de présenter au public un écrivain mal connu alors en France et qu'il admirait. Si Valéry entreprit, en 1924, de «situer» Baudelaire, c'est que son rôle de conférencier l'exigeait. 1951, c'est la date, sans doute, qui a inspiré à Char ce poème-essai intitulé «En 1871». Char indique qu'il devait être placé «sous un portrait» de Rimbaud. Peut-être fut-il écrit aussi en partie en réaction contre une thèse célèbre qui s'attaquait au «mythe» de Rimbaud.[1] Butor développe son thème dans le cadre

---

[1] René Etiemble, le Mythe de Rimbaud, 2 vol. (Paris: Gallimard, 1952–54). La thèse d'Etiemble était connue avant la parution des deux volumes, ayant été précédée de notes critiques et, en 1950, d'une nouvelle édition de Rimbaud par Etiemble et Gauclère.

des discussions engagées autour du «nouveau roman». Mais quelle que soit l'occasion, elle n'est en somme que prétexte.

L'intérêt que Gide portait à l'œuvre de Dostoïevsky datait déjà d'une dizaine d'années et ne fit que croître comme en témoigne la série de conférences sur ce romancier restée à juste titre célèbre. L'exposé de Valéry sur Baudelaire se rattache aux longues méditations de toute une vie sur les sources de l'invention poétique et de ses «constituants». Par trois fois entre 1947 et 1956, Char, pourtant peu loquace, est revenu au personnage de Rimbaud qu'il place parmi les interlocuteurs de «la conversation souveraine»; et les recherches de Butor datent de ses tout premiers débuts, en 1948, lors d'une «petite croisière préliminaire à une reconnaissance de l'archipel Joyce».

L'essai donc engage la pensée intime de l'auteur, témoignant de la persistance chez tous quatre de certaines préoccupations sur lesquelles s'exerce ce «démon de la lucidité» dont parle Valéry et qui a mis son empreinte sur la littérature de notre époque.

«On s'attend à trouver un dieu; on touche un homme—malade, pauvre, peinant sans cesse. . . .» Si les lettres de Dostoïevsky passionnent Gide c'est parce que non-littéraires elles lui offrent un document humain «brut» qu'il ne met pas en question et qui lui permet de saisir l'homme «en situation» comme dira plus tard Sartre; un homme avec ses contradictions, ses forces, et ses faiblesses, et cet entêtement dans la création littéraire que rien n'ébranle. Gide en est profondément affecté, comme l'allure même de l'essai le révèle. Bourré de citations, c'est un véritable dialogue où la voix de Gide et celle de Dostoïevsky alternent tandis qu'au bas des pages Gide accumule les notes, poursuivant la discussion avec les éditeurs, critiques, ou traducteurs de l'écrivain. Parmi les critiques M. de Vogüé est en bonne place, louable parce qu'il a le premier introduit Dostoïevsky aux Français, infiniment blâmable de l'avoir si mal apprécié. On a taxé l'essai de Gide d'incohérence; ce qui frappe cependant c'est la fermeté de sa démarche. Gide tient à dégager la physionomie propre de Dostoïevsky, à le situer parmi ses pairs, Stendhal,

Balzac, Ibsen, Nietzsche, Flaubert. Mais, ce faisant, par un subtil renversement de son projet avoué, il fait de Dostoïevsky la pierre de touche qui révèle l'étroitesse des limites où à l'époque le «bon goût» français se cantonne.

Par sa méthode l'essai de Gide prélude au renouveau de la biographie littéraire. Le mouvement incessant de la vie à l'œuvre, de l'œuvre à la vie, l'une éclairant l'autre, annonce déjà la démarche plus systématique dont le *Baudelaire* de Sartre sera un éclatant exemple. Plus généreux que Sartre, moins soucieux de conclure et de juger que de comprendre, Gide nous montre aussi dans cet essai un visage particulièrement sympathique de lui-même.

L'exposé de Valéry par contraste paraît froid, même guindé, tant son développement est formel. Il s'organise autour d'un point de vue central par rapport auquel Valéry, dans une sorte de mouvement tournant, multiplie les perspectives, les rapports, les définitions, tissant autour du «fait» Baudelaire un réseau de relations denses mais non immobiles. Et c'est peut-être de la tension entre la structure massive de l'essai et la mobilité des relations qu'il cherche à définir que naît le plaisir qu'il donne au lecteur attentif. Au coeur de l'essai est une «donnée», une hypothèse fort générale à laquelle le cas particulier de Baudelaire vient donner son appui concret. Tout créateur, selon Valéry, se situe par rapport à ses prédécesseurs, en refaisant d'abord ce par quoi ils se sont affirmés. Baudelaire donc, succédant aux Romantiques, devra se faire d'abord critique, un créateur conscient, travaillant volontairement à contre-courant de leurs principes. D'où l'importance qu'aura sa rencontre avec Poe[2] et l'immense fécondité ultérieure de son entreprise. Pour Valéry,

---

[2]L'on peut apercevoir peut-être combien personnelle est l'interprétation de Valéry en rapprochant sur un point son analyse de celle d'un critique de métier, Antoine Adam. Poe, selon M. Adam, aurait révélé à Baudelaire «l'absurde installé au cœur de l'intelligence, l'hystérie usurpant la place de la volonté et qui détermine des états d'une intensité inouïe ...» et surtout que «le vrai domaine du poète, c'est le rêve ... que le rêve est la seule réalité.» Introduction aux *Fleurs du mal* (Paris: Garnier, 1959), p. x.

poète lui-même, le mouvement de la littérature—ou, plus précisément, de la poésie—s'explique par une double contrainte: l'exigence de rupture par quoi se manifeste le besoin de créer; les résistances qu'oppose au poète la matière sur laquelle il travaille—langue, prosodie, formes, rythmes. D'où une dialectique que Valéry cherche par tous les moyens à cerner, mais une dialectique qui se situe dans le domaine esthétique nettement circonscrit que l'artiste choisit, dans le cas de Baudelaire, la poésie.

C'est «l'homo poeticus» que Char évoque dans l'enfant de Charleville, «porteur irresponsable» de cette charge de poésie qui passant de poète en poète jalonne l'itinéraire des hommes à travers le temps. Pour Char le poète dit ce qui lui est enjoint de dire, et fait éclater la vérité nue du monde à travers le verbe. Poète, lui aussi, Char saisit l'essence de ce que fut le poète Rimbaud. En trois brefs paragraphes il évoque la situation historique «en 1871», la situation littéraire et enfin le fulgurant passage du poète chargé de proclamer doublement, comme tout poète, dans sa vie et dans sa parole la vérité du moment.

Entre une civilisation morte et une civilisation non encore formée, donc inimaginable, tout ce que l'époque offre à Rimbaud c'est un mince seuil où il se dresse un instant «le premier poète d'une civilisation non encore apparue», avant de disparaître, ayant accompli sa tâche. Ce qu'affirme Char, c'est l'intégrité totale de la vie du poète, dont le sens est inscrit dans son fulgurant et ineffaçable passage, l'équivalent exact de son verbe. Le mythe et la réalité sont indissociables, situés et définitifs.

Butor, lui, examine le roman d'un œil en apparence détaché mais en fait extrêmement averti. Que doit être le roman pour le romancier et le lecteur aujourd'hui? Selon Butor il ne peut plus être un récit d'événements qui se déroulent logiquement. Il doit être l'essai de saisir leurs relations intimes. La fiction, comme c'est le cas pour la cybernétique, consiste à créer des «modèles», des structures qui par ce qu'elles saisissent et ce qu'elles laissent échapper mettent à l'épreuve nos représentations journalières. Fiction et réalité ainsi paraissent interverties, la fiction, par le roman, révélant l'immense zone de l'imaginaire dont nous entourons notre vie. Au-delà du roman, c'est une perpétuelle rectification de notre façon de voir, donc de penser, donc d'agir que vise Butor, héritier de Proust, de Gide, et de Valéry mais profondément influencé par la pensée structuraliste.

De façon très différente ces quatre essais abordent l'œuvre d'un point de vue moderne. Que l'œuvre «parle d'abord le langage» d'une époque particulière, tous l'admettent et chacun à sa façon cherche à définir aussi ce qu'est «le mouvement même de la création: l'artiste travaillant à dégager d'une confusion actuelle les formes qui peuvent lui correspondre[3].» D'où leur valeur de témoignage.

---

[3]Gaëtan Picon, *l'Usage de la lecture*, II (Paris: Mercure de France, 1961), p. 283.

Gide | Dostoïevsky

I

On s'attend à trouver un dieu; on touche un homme[1]—malade, pauvre, peinant sans cesse et singulièrement dépourvu de cette pseudo-qualité qu'il reprochait tant au Français: l'éloquence. Pour parler d'un livre aussi nu, je tâcherai d'écarter de moi-même tout autre souci que celui de la probité. S'il en est qui espèrent trouver ici art, littérature ou quelque amusement d'esprit, je leur dis aussitôt qu'ils feront mieux d'abandonner cette lecture.

Le texte de ces lettres est souvent confus, maladroit, incorrect, et nous savons gré à M. Bienstock, résignant tout souci d'élégance factice, de n'avoir point cherché à remédier à cette gaucherie si caractéristique.*

---

*C'est pourquoi nous nous conformerons, dans toutes nos citations, au texte de M. Bienstock, espérant que gaucheries, incorrections même — assez gênantes parfois — imitent de leur mieux celles du texte russe. Cela soit dit d'ailleurs sous toutes réserves

Oui, le premier abord rebute. Hoffmann,[2] le biographe allemand de Dostoïevsky, laisse entendre que le choix des lettres livrées par les éditeurs russes eût pu être mieux fait*; il ne me convainc point que la tonalité en aurait été différente. Tel que voici, le volume est épais, étouffant†, non point en raison du nombre des lettres, mais de l'énorme informité[3] de chacune d'elles. Peut-être n'avions-nous pas d'exemple encore de lettres de littérateur si mal écrites, j'entends: avec si peu d'apprêt. Lui, si habile à «parler autrui[4]», lorsqu'il s'agit de parler en son propre nom, s'embarrasse: il semble que les idées, sous sa plume, ne viennent pas successives mais simultanées, ou que, pareilles à ces «fardeaux branchus[5]» dont parlait Renan, il ne les puisse tirer au jour qu'en s'écorchant et en accrochant tout au passage; de là, ce foisonnement confus, qui, maîtrisé, servira dans la

---

*Il peut nous paraître (dit celui-ci) et surtout après un regard jeté sur la correspondance intime de Dostoïevsky, qu'Anna Grigorievna, veuve du poète, et André Dostoïevsky, frère cadet du poète, aient été mal conseillés dans le choix des lettres qu'ils ont livrées à la publicité, et que, sans nuire en rien à la discrétion, ils eussent avantageusement remplacé par quelques lettres plus intimes maintes lettres qui ne traitent que de la question d'argent. — Il n'existe pas moins de quatre cent soixante-quatre lettres de Dostoïevsky à Anna Grigorievna, sa seconde femme, dont aucune n'a été encore livrée au public.

†Pour épais que soit ce volume, il eût pu l'être, il eût dû l'être davantage. Nous déplorons que M. Bienstock n'ait pas pris soin de réunir aux lettres offertes d'abord au public celles parues depuis dans diverses revues. Pourquoi, par exemple, ne donne-t-il que la première des trois lettres parues dans la *Niva* (avril 1898)? Pourquoi pas la lettre du 1ᵉʳ décembre 1856 à Vrangel — du moins les fragments qui en ont été donnés, où Dostoïevsky raconte son mariage et manifeste l'espoir d'être guéri de son hypocondrie par le bouleversement heureux de sa vie? Pourquoi pas surtout l'admirable lettre du 22 février 1854, importante entre toutes, parue dans la *Rousskaia Starina* et dont la traduction (Halpérine et Ch. Morice) a paru dans *la Vogue* du 12 juillet 1886? Et si nous le félicitons de nous avoir donné en supplément de ce volume la *Requête à l'empereur*, les trois préfaces de la revue *Vremia*, cet indigeste *Voyage à l'étranger*, où se lisent quelques passages intéressant particulièrement la France, et le très remarquable *Essai sur la bourgeoisie*, — pourquoi n'y a-t-il pas joint le pathétique plaidoyer: *Ma défense*, écrit lors de l'affaire Petrachevsky, paru en Russie il y a huit ans, et dont la traduction française (Fréd. Rosenberg) a été donnée par la *Revue de Paris?* Peut-être, enfin, quelques notes explicatives, de-ci de-là, eussent-elles aidé la lecture, et peut-être quelques divisions expliquant d'époque en époque, parfois, les longs intervalles de silence.

composition de ses romans, à leur complexité puissante. Lui, si dur, si âpre au travail, qui corrige, détruit, reprend inlassablement chacun de ses récits, page après page, jusqu'à faire rendre à chacun d'eux l'âme profonde qu'il contient—écrit ici tout comme il peut; sans rien biffer sans doute, mais se reprenant constamment; le plus vite possible, c'est-à-dire interminablement. Et rien ne laisse mesurer mieux la distance de l'œuvre à l'ouvrier qui la produit. Inspiration! ô flatteuse invention romantique! Muses faciles! où êtes-vous?—«Une longue patience[6]»; si jamais l'humble mot de Buffon fut à sa place, c'est ici.

«Quelle théorie est donc la tienne, mon ami, — écrit-il à son frère, presque au début de sa carrière, — qu'un tableau doit être peint en une fois? — Quand as-tu été persuadé de cela? Crois-moi; il faut partout du travail et un travail énorme. Crois-moi qu'une pièce de vers de Pouchkine, légère et élégante, de quelques lignes, paraît justement écrite en une fois parce qu'elle a été longtemps arrangée et reprise par Pouchkine... Rien de ce qui a été écrit de chic n'est mûr. On ne trouve pas de ratures dans les manuscrits de Shakespeare, dit-on. C'est pour cela qu'on y trouve tant de difformités et de manque de goût; s'il eût travaillé, c'eût été encore mieux...»

Voilà le ton de la correspondance entière. Le meilleur de son temps, de son humeur, Dostoïevsky le donne au travail. Aucune de ses lettres n'est écrite par plaisir. Constamment il revient sur son «dégoût terrible, invincible, inimaginable, d'écrire des lettres». — «Les lettres, dit-il, sont des choses stupides; on ne peut pas du tout s'y épancher.» Et mieux: «Je vous écris tout et je vois que du principal de ma vie morale, spirituelle, je ne vous ai rien dit; je ne vous en ai même pas donné une idée. Ce sera ainsi tant que nous resterons en correspondance. Je ne sais pas écrire les lettres; je ne sais pas écrire *de moi*, m'écrire *avec mesure*[7].» Il déclare par ailleurs: «On ne peut jamais rien écrire dans une lettre. Voilà pourquoi je n'ai jamais pu souffrir Mme de Sévigné: elle écrivait ses lettres trop bien.» Ou encore, humoristiquement: «Si je vais en enfer, je serai certainement condamné pour mes péchés à écrire une dizaine de lettres par jour»—et c'est bien, je crois, l'unique plaisanterie qu'on puisse relever au cours de ce sombre livre.

Il n'écrira donc que pressé par la nécessité la plus dure. Chacune de ses lettres (si toutefois l'on en excepte celles des dix dernières années de sa vie, d'un ton tout autre, et sur lesquelles je reviendrai spécialement), chacune de ses lettres est un cri: *il n'a plus rien*; il est à bout; il *demande*. Que dis-je: un cri... c'est un interminable et monotone gémissement de détresse; il demande sans habileté, sans fierté, sans ironie; il demande et il ne sait pas demander. Il implore; il presse; il y revient, insiste, détaille ses besoins... Il me fait souvenir de cet ange qui, sous les traits d'un errant voyageur, ainsi que les *Fioretti* de saint François nous le racontent, vint au Val-de-Spolete heurter l'huis de la naissante confrérie. Il frappait si précipitamment, est-il dit, si longuement, si fort, que les frati s'en indignèrent et que frate Masseo (M. de Vogüé, je suppose), qui enfin lui ouvrit la porte, lui dit: «D'où viens-tu donc pour frapper si peu décemment?» — Et l'ange lui ayant demandé: «Comment faut-il frapper?» Masseo répondit: «On frappe trois coups espacés, puis on attend. Il faut laisser à celui qui vient ouvrir le temps de dire son patenôtre; ce temps passé, s'il ne vient pas, on recommence...» — «*C'est que j'ai si grand'hâte*», reprend l'ange...»

«Je suis dans une telle gêne que me voici prêt à me pendre,» écrit Dostoïevsky. — «Je ne puis ni payer mes dettes, ni partir, faute d'argent pour le voyage et je suis complètement au désespoir.» — «Que deviendrai-je d'ici la fin de l'an? Je ne sais pas. Ma tête se brise. Je n'ai plus à qui emprunter.» — («Comprenez-vous ce que cela veut dire: n'avoir plus où aller?» disait un de ses héros.)—«J'ai écrit à un parent pour lui demander six cents roubles. S'il ne les envoie pas, je suis perdu.» De ces plaintes ou de semblables, cette correspondance est si pleine que je cueille tout au hasard... Parfois cette insistance encore, qui revient naïvement tous les six mois: «L'argent ne peut être aussi nécessaire qu'une seule fois dans la vie.»

Dans les derniers temps, comme ivre de cette humilité dont

il savait griser ses héros, de cette étrange humilité russe, qui peut bien être chrétienne aussi, mais qui, affirme Hoffmann, se retrouve au fond de chaque âme russe, même de celle où la foi chrétienne fait défaut, et que ne pourra jamais parfaitement comprendre, dit-il, l'Occidental qui fait de dignité vertu[8]: «Pourquoi me refuseraient-ils? D'autant plus que je n'exige pas, mais je prie humblement.»

Mais peut-être cette correspondance nous trompe-t-elle en nous montrant toujours désespéré celui qui n'écrivait qu'en cas de désespoir... Non: aucun afflux d'argent qui ne fût aussitôt absorbé par les dettes; de sorte qu'il pouvait écrire, à cinquante ans: «Toute ma vie j'ai travaillé pour de l'argent et toute ma vie j'ai été constamment dans le besoin; à présent plus que jamais.» Les dettes... ou le jeu, le désordre, et cette générosité instinctive, immesurée, qui faisait dire à Riesenkampf, le compagnon de sa vingtième année: «Dostoïevsky est un de ces gens auprès desquels il fait pour tous très bon vivre, mais qui lui-même restera toute sa vie dans le besoin.»

A l'âge de cinquante ans il écrit: «Ce futur roman (il s'agit ici des *Frères Karamazov,* qu'il n'écrira que neuf ans plus tard), ce futur roman me tourmente déjà depuis plus de trois ans: mais je ne le commence pas, car je voudrais l'écrire sans me presser, comme écrivent les Tolstoï, les Tourgueniev, les Gontcharov. Qu'il existe donc au moins une de mes œuvres qui soit libre et non écrite pour une époque déterminée.»—Mais c'est en vain qu'il dira: «Je ne comprends pas le travail fait à la hâte, pour de l'argent»; cette question d'argent interviendra toujours dans son travail, et la crainte de ne pouvoir livrer ce travail à temps: «J'ai peur de ne pas être prêt, d'être en retard. Je n'aurais pas voulu gâter les choses par ma hâte. Il est vrai, le plan est bien conçu et étudié: mais on peut tout gâter avec trop de hâte.»

Un surmenage effroyable en résulte, car s'il met son honneur dans cette ardue fidélité, il crèverait à la peine plutôt que de livrer de l'ouvrage imparfait; et vers la fin de sa vie, il pourra dire: «Pendant toute ma carrière littéraire, j'ai toujours rempli exactement mes engagements; je n'y ai jamais manqué une fois; de plus, je n'ai jamais écrit uniquement pour de l'argent afin de me débarrasser de l'engagement pris»; et peu avant, dans la même lettre: «Je n'ai jamais imaginé un sujet pour de l'argent, pour satisfaire à l'obligation une fois acceptée d'écrire pour un terme fixé d'avance. Je me suis toujours engagé — et vendu à l'avance—quand j'avais déjà mon sujet en tête, que je voulais réellement écrire et que je trouvais nécessaire d'écrire.» De sorte que si, dans une de ses premières lettres, écrite à vingt-quatre ans, il s'écrie: «Quoi qu'il en soit j'ai fait le serment; même parvenu aux dernières limites de la privation, je tiendrai bon et n'écrirai pas sur commande. La commande tue; la commande perd tout. Je veux que chacune de mes œuvres, par elle-même, soit bien», — l'on peut dire sans trop de subtilité que, malgré tout, il s'est tenu parole.

Mais il garde toute sa vie la conviction douloureuse qu'avec plus de temps, de liberté, il eût pu mener à mieux sa pensée: «Ce qui me tourmente beaucoup, c'est que, si j'écrivais le roman à l'avance durant une année, et puis deux ou trois mois pour copier et corriger, ce serait autre chose, j'en réponds.» Illusion, peut-être? Qui peut le dire? Grâce à plus de loisir, qu'eût-il pu obtenir? Que cherchait-il encore? — Une plus grande simplicité, sans doute; une plus parfaite subordination des détails... Tels qu'ils sont, ses meilleurs ouvrages atteignent, en presque chaque partie, un point de précision et d'évidence qu'on imagine difficilement dépassé.

Pour en arriver là, que d'efforts! «Il n'y a que les endroits d'inspiration qui viennent tout d'un coup, à la fois, mais le reste est un travail très pénible.» A son frère qui sans doute lui avait reproché de ne pas écrire assez «simplement», croyant dire ainsi: assez vite, et de ne pas «se laisser aller à l'inspiration», il répondait, encore jeune: «Tu confonds évidemment l'inspiration, c'est-à-dire la création première, instantanée du tableau ou le mouvement de l'âme (ce qui arrive souvent), avec le travail. Ainsi, par exemple, j'inscris une scène aussitôt, telle qu'elle m'est apparue, et j'en suis enchanté; ensuite, pendant des mois, pendant un an, je la travaille... et crois-moi, le résultat est bien meilleur. Pourvu que l'inspiration vienne. Naturellement, sans inspiration, rien ne peut se faire.» — Dois-je m'excuser de tant citer — ou ne me saura-t-on gré bien plutôt de céder la parole à Dostoïevsky le plus souvent possible? «Au commencement, c'est-à-dire vers la fin de l'année dernière (la lettre est d'octobre 70), je considérais cette chose comme étudiée, composée, et je la regardais avec hauteur. (Il s'agit ici des *Possédés*.) Ensuite m'est venue la véritable inspiration — et soudain je l'ai aimée, cette œuvre, je l'ai saisie des deux mains, et je me suis mis à biffer ce qui était déjà écrit.» — «Toute l'année dit-il encore (1870), je n'ai fait que déchirer et changer... J'ai changé mon plan au moins dix fois, et j'ai écrit de nouveau toute la première partie. Il y a deux ou trois mois, j'étais au désespoir. Enfin tout s'est constitué à la fois et ne peut être changé.» Et toujours cette obsession: «Si j'avais eu le temps d'écrire sans me presser, sans terme fixe, il est possible qu'il en serait résulté quelque chose de bien.»

Cette angoisse, ces mécontentements de lui-même, il les a connus pour chaque livre:

«Le roman est long; il a six parties (*Crime et châtiment*). A la fin de novembre, il y en avait déjà un grand morceau d'écrit, tout prêt; j'ai tout brûlé! Maintenant, je peux l'avouer, ça ne me plaisait pas. Une nouvelle forme, un nouveau plan m'entraînaient; j'ai recommencé. Je travaille jour et nuit, et cependant j'avance peu.» — «Je travaille et, rien ne se fait, dit-il ailleurs; je ne fais que déchirer. Je suis affreusement découragé.» Et ailleurs encore: «J'ai tant travaillé que j'en suis devenu stupide, et ma tête est toute étourdie.» Et ailleurs encore: «Je travaille ici (Staraia Roussa) comme un forçat, malgré les beaux jours dont il faudrait profiter; je suis jour et nuit à l'ouvrage.»

Parfois un simple article lui donne autant de mal qu'un livre, car la rigueur de sa conscience reste aussi entière devant les petites choses que devant les grandes:

«Je l'ai traîné jusqu'à présent (un article de souvenirs sur Bielensky, qui n'a pu être retrouvé) et enfin je l'ai terminé en grinçant des dents... Dix feuilles de romans sont plus faciles à écrire que ces deux feuilles! Il en est résulté que j'ai écrit ce maudit article, en comptant tout, au moins cinq fois, et puis je barrais tout et je modifiais ce que j'avais écrit. Enfin, j'ai achevé mon article tant bien que mal; mais il est si mauvais que cela me tourne le cœur.» Car s'il garde la conviction profonde de la valeur de ses idées, il reste même pour ses meilleurs écrits, exigeant le travail, insatisfait après:

«Il m'est rarement arrivé d'avoir quelque chose de plus neuf, de plus complet, de plus original (*Karamazov*). Je puis parler ainsi sans être accusé d'orgueil, parce que je ne parle que du sujet, que de l'idée qui s'est implantée dans ma tête, non pas de l'exécution, quant à l'exécution, elle dépend de Dieu; je puis la gâcher, ce qui m'est arrivé souvent...»

«Si vilain, si abominable que soit ce que j'ai écrit, dit-il ailleurs, l'idée du roman, et le travail que je lui consacre, me sont à moi malheureux, à moi l'auteur, ce qu'il y a de plus précieux au monde.»

«Je suis mécontent de mon roman jusqu'au dégoût, écrit-il lorsqu'il travaille à *l'Idiot*. Je me suis terriblement efforcé de travailler, mais je n'ai pas pu; j'ai le cœur malade. A présent, je fais un dernier effort pour la troisième partie. Si je parviens à arranger le roman, je me remettrai; sinon je suis perdu.»

Ayant écrit déjà non seulement les trois livres que M. de Vogüé considère comme ses chefs-d'œuvre, mais encore *l'Esprit souterrain*, *l'Idiot*, *l'Eternel Mari*, il s'écrie, s'acharnant sur un nouveau sujet (*les Possédés*): «Il est temps enfin d'écrire quelque chose de sérieux.»

Et l'année de sa mort, encore, à Mlle N..., à qui il écrit pour la première fois: «Je sais que moi, comme écrivain, j'ai beaucoup de défauts, parce que je suis le premier, bien mécontent de moi-même. Vous pouvez vous figurer que dans certaines minutes d'examen personnel, je constate souvent avec peine que je n'ai pas exprimé, littéralement, la vingtième partie de ce que j'aurais voulu, et peut-être même pu exprimer. Ce qui me sauve, c'est l'espoir habituel qu'un jour Dieu m'enverra tant de force et d'inspiration, que je m'exprimerai plus complètement, bref, que je pourrai exposer tout ce que je renferme dans mon cœur et dans ma fantaisie.»

Que nous sommes loin de Balzac, de son assurance et de son imperfection généreuse! Flaubert même connut-il si âpre exigence de soi, si dures luttes, si forcenés excès de labeur? Je ne crois pas. Son exigence est plus uniquement littéraire, si le récit de son labeur s'étale au premier plan dans ses lettres, c'est aussi qu'il s'éprend de ce labeur même, et que, sans précisément s'en vanter, du moins s'en enorgueillit-il; c'est aussi qu'il a supprimé tout le reste, considérant la vie comme «une chose tellement hideuse que le seul moyen de la supporter, c'est de l'éviter», et se comparant aux «amazones qui se brûlaient le sein pour tirer de l'arc». Dostoïevsky, lui, n'a rien supprimé; il a femme et enfants, il les aime; il ne méprise point la vie; il écrit au sortir du bagne: «Au moins *j'ai vécu*; j'ai souffert, mais quand même j'ai vécu.» Son abnégation devant son art, pour être moins arrogante, moins consciente et moins préméditée, n'en est que plus tragique et plus belle. Il cite volontiers le mot de Térence et n'admet pas que rien d'humain lui demeure étranger: «L'homme n'a pas le droit de se détourner et d'ignorer ce qui se passe sur la terre, et il existe pour cela des raisons morales supérieures: *Homo sum, et nihil humanum...*[9] et ainsi de suite.» Il ne se détourne pas de ses douleurs, mais les assume dans leur plénitude. Lorsqu'il perd, à quelques mois d'intervalle, sa première femme et son frère Mikhaïl[10], il écrit: «Voilà que tout d'un coup je me suis trouvé seul; et j'ai ressenti de la peur. C'est devenu terrible! Ma vie est brisée en deux. D'un côté le passé avec tout ce pour quoi j'avais vécu, de l'autre l'inconnu sans un seul cœur pour me remplacer les deux disparus. Littéralement il ne me restait pas de raison de vivre. Se créer de nouveaux liens, inventer une nouvelle vie? Cette pensée seule me fait horreur. Alors pour la première fois j'ai senti que je n'avais pas de quoi les remplacer, que je n'aimais *qu'eux seuls* au monde, et qu'un nouvel amour non seulement ne serait pas mais ne devait pas être.» Mais quinze jours après il écrit: «De toutes les réserves de force et d'énergie, dans mon âme est resté quelque chose de trouble et de vague, quelque chose voisin du désespoir. Le trouble, l'amertume, l'état le plus anormal pour moi... Et de plus je suis seul! ... Cependant il me semble toujours que je me prépare à vivre. C'est ridicule, n'est-ce pas? La vitalité du chat!» — Il a quarante-quatre ans alors; et moins d'un an après, il se remarie.

A vingt-huit ans déjà, enfermé dans la forteresse préventive, en attendant la Sibérie, il s'écriait: «Je vois maintenant que j'ai une si grande provision de vie en moi, qu'il est difficile de l'épuiser.» Et (en 56) de Sibérie encore, mais ayant fini son temps de bagne et venant d'épouser la veuve Marie Dmitrievna Issaiev: «Maintenant, ce n'est plus comme autrefois; il y a tant de réflexion, tant d'effort et tant d'énergie dans mon travail... Est-il possible qu'ayant eu pendant six ans tant d'énergie et de courage pour la lutte, avec des souffrances inouïes, je ne sois pas capable de me procurer assez d'argent pour me nourrir et nourrir ma femme? Allons donc! Car surtout personne ne connaît ni la valeur de mes forces, ni le degré de mon talent et c'est surtont là-dessus que je compte!»

Mais, hélas! ce n'est pas seulement contre la misère qu'il lui faut lutter!

«Je travaille presque toujours nerveusement, avec peine et souci. Quand je travaille trop, je deviens même physiquement malade.» «Ces derniers temps j'ai travaillé littéralement jour et nuit, malgré les crises.» Et ailleurs: «Cependant les crises m'achèvent, et après chacune je ne peux remettre mes idées d'aplomb avant quatre jours.»

Dostoïevsky ne s'est jamais caché de sa maladie; ses attaques de «mal sacré[11]» étaient du reste trop fréquentes, hélas! pour que plusieurs amis, des indifférents n'en eussent été parfois témoins. Strakhov nous raconte dans ses *Souvenirs* un de ces accès, n'ayant pas, plus que Dostoïevsky lui-même, compris qu'il pût y avoir quelque honte à être épileptique, ou même quelque «infériorité» morale ou intellectuelle autre que celle résultant d'une grande difficulté de travail. Même à des correspondantes inconnues à qui Dostoïevsky écrit pour la première fois, regrettant d'avoir fait attendre sa lettre, tout naïvement et simplement il dira: «Je viens de supporter *trois* accès de mon épilepsie — ce qui ne m'était pas arrivé de cette force et si souvent. Mais, après les accès, pendant deux ou trois jours, je ne puis ni travailler, ni écrire, ni même lire, parce que je suis brisé de corps et d'âme. Voilà pourquoi à présent que vous le savez, je vous prie de m'excuser d'être resté si longtemps avant de vous répondre.»

Ce mal dont il souffrait déjà avant la Sibérie s'aggrave au bagne, se calme à peine durant quelque séjour à l'étranger, reprend en empirant. Les crises parfois sont plus espacées, mais d'autant plus fortes. «Quand les crises ne sont pas fréquentes et qu'il en éclate une soudain, il m'arrive des humeurs noires extraordinaires. Je suis au désespoir. Autrefois (écrit-il à l'âge de cinquante ans) cette humeur durait trois jours après la crise, maintenant sept, huit jours.»

Malgré ses crises, il essaie de se cramponner au travail, il s'efforce, pressé par des engagements: «On a annoncé que dans la livraison d'avril (du *Roussky Viestnik*[12]) va paraître la suite (de *l'Idiot*), et moi je n'ai rien de prêt, excepté un chapitre sans importance. Que vais-je envoyer? Je n'en sais rien! Avant hier, j'ai eu une crise des plus violentes. Mais, hier, j'ai écrit quand même, dans un état proche de la folie.»

Tant qu'il n'en résulte que gêne et douleur, passe encore: «Mais, hélas! Je remarque avec désespoir que je ne suis plus en état de travailler aussi vite que dernièrement encore et qu'autrefois.» A maintes reprises, il se plaint que sa mémoire et son imagination s'affaiblissent et à cinquante-huit ans, deux ans avant sa mort: «J'ai remarqué depuis longtemps que plus je vais, plus mon travail me devient difficile. Alors, par conséquent, des pensées toujours impossibles à être consolées, des pensées sombres...» Cependant il écrit les *Karamazov.*

Lors de la publication des lettres de Baudelaire, l'an passé, M. Mendès s'effaroucha, protesta, non sans emphase, par des «pudenda moraux[13]» de l'artiste, etc. Je songe, en lisant cette correspondance de Dostoïevsky, à la parole admirable, attribuée au Christ lui-même, et remise au jour depuis peu: «Le royaume de Dieu sera quand vous irez de nouveau nus et que vous n'en aurez point de honte.[14]»

Sans doute, il restera toujours des lettrés délicats, aux pudeurs faciles, pour préférer ne voir des grands hommes que le buste — qui s'insurgent contre la publication des papiers intimes, des correspondances privées; ils semblent ne considérer dans ces écrits que le plaisir flatteur que les médiocres esprits peuvent prendre à voir soumis aux mêmes infirmités qu'eux les héros. Ils parlent alors d'indiscrétion, et, quand ils ont la plume romantique, de «violation de sépultures», tout au moins de curiosité malsaine; ils disent: «Laissons l'homme; l'œuvre seule importe!» — Evidemment! mais l'admirable, ce qui reste pour moi d'un enseignement inépuisable, c'est qu'*il l'ait écrite malgré cela.*

N'écrivant pas une biographie de Dostoïevsky, mais traçant un portrait et simplement avec les éléments que m'offre sa correspondance, je n'ai parlé que d'empêchements constitutionnels, parmi lesquels je pense pouvoir ranger cette misère continue, si intimement dépendante de lui et qu'il semble que sa nature réclamât secrètement... Mais tout s'acharne contre lui: dès le début de sa carrière, malgré son enfance maladive, il est reconnu bon pour le service tandis que son frère Mikhaïl, plus robuste, est réformé. Fourvoyé dans un groupe de suspects, il est pris et condamné à mort, puis par grâce, envoyé en Sibérie pour y purger sa peine. Il y reste dix ans; quatre ans au bagne et six à Semipalatinsk, dans l'armée. Là-bas, sans grand *amour* peut-être*, au sens où nous entendons ce mot généralement, mais avec une sorte de miséricorde enflammée, par pitié, par tendresse, besoin de dévouement et par une propension naturelle à assumer toujours et ne se dérober devant rien, il épouse la veuve du forçat Issaiev, mère déjà d'un grand enfant fainéant[15] ou impropre qui restera dès lors à sa charge. «Si vous me questionnez sur moi, que vous dirais-je: je me suis chargé de soucis de famille et je les traîne. Mais je crois que ma vie n'est pas encore terminée et je ne veux pas mourir.» A sa charge également la famille de son frère Mikhaïl, après la mort de celui-ci. A sa charge, journaux, revues qu'il fonde, soutient, dirige†, dès qu'il a quelque argent de reste, partant quelque possible loisir: «Il fallait prendre des mesures énergiques. J'ai commencé à publier à la fois dans trois typographies; je n'ai marchandé ni l'argent, ni la santé, ni les efforts. Moi seul menais tout. Je lisais les épreuves; j'étais en relation avec les auteurs, avec la censure; je corrigeais les articles; je cherchais de l'argent; je restais debout jusqu'à six heures du matin et ne dormais que cinq heures. J'ai enfin réussi à mettre de l'ordre dans la revue, mais il est trop tard.» La revue, en effet, n'échappe pas à la faillite. «Mais le pire, ajoute-t-il, c'est qu'avec ce travail de galérien, je ne pouvais rien écrire pour la revue; pas une ligne de moi. Le public ne rencontrait pas mon nom, et non seulement en province, mais même à Pétersbourg[16], il ne savait pas que c'était moi qui dirigeais la revue.»

N'importe! il reprend, s'obstine, recommence; rien ne le

---

*«Oh! mon ami! Elle m'aimait infiniment et je l'aimais de même; cependant nous ne vivions pas heureux ensemble. Je vous raconterai tout cela quand je vous verrai; sachez seulement que, bien que très malheureux ensemble (à cause de son caractère, hypocondriaque et maladivement fantasque), nous ne pouvions cesser de nous aimer. Même plus nous étions malheureux, plus nous nous attachions l'un à l'autre. Quelque étrange que cela paraisse, c'est ainsi.» (Lettre à Vrangel après la mort de sa femme.)

†«Pour défendre les idées qu'il croyait avoir», dit M. de Vogüé.

décourage, ni ne l'abat. Dans la dernière année de sa vie, pourtant, il en est encore à lutter, sinon contre l'opinion populaire qu'il a définitivement conquise, mais contre l'opposition des journaux: «Pour ce que j'ai dit à Moscou (discours sur Pouchkine) voyez donc comme j'ai été traité presque partout dans notre presse: comme si j'avais volé ou escroqué dans quelque banque. Ukhantsev célèbre escroc de cette époque lui-même ne reçoit pas tant d'ordures que moi.»

Mais ce n'est pas une récompense qu'il cherche, non plus que ce n'est l'amour-propre ou la vanité d'écrivain qui le fait agir. Rien de plus significatif à ce sujet que la façon dont il accueille son éclatant succès du début: «Voilà trois ans que je fais de la littérature, écrit-il, et je suis tout étourdi. Je ne vis pas, je n'ai pas le temps de réfléchir... *On m'a créé une renommée douteuse et je ne sais pas jusqu'à quand durera cet enfer.*»

Il est si convaincu de la valeur de son idée que sa valeur d'homme s'y confond et y disparaît. «Que vous ai-je donc fait, écrit-il au baron Vrangel, son ami, pour que vous me témoigniez tant d'amour?» — et, vers la fin de sa vie, à une correspondante inconnue: «Croyez-vous donc que je sois de ceux qui sauvent les cœurs, qui délivrent les âmes et qui chassent la douleur! Beaucoup de personnes me l'écrivent, mais je suis sûr que je suis bien plus capable d'inspirer le désenchantement et le dégoût. Je ne suis guère habile à bercer, quoique je m'en sois chargé quelquefois.» Quelle tendresse pourtant, dans cette âme si douloureuse! «Je rêve de toi toutes les nuits, écrit-il de Sibérie à son frère, — et je m'inquiète terriblement. Je ne veux pas que tu meures; je veux te voir et t'embrasser encore une fois dans ma vie, mon chéri. Tranquillise-moi, pour l'amour du Christ, si tu te portes bien, laisse toutes tes affaires et tous tes tracas et écris-moi tout de suite, à l'instant, car autrement je perdrais la raison.»

Va-t-il du moins ici, trouver quelque soutien? — «Ecrivez-moi avec détails et au plus vite comment vous avez trouvé mon frère (lettre au baron Vrangel, de Semipalatinsk, 23 mars 1856). Que pense-t-il de moi? Autrefois il m'aimait ardemment! Il pleurait en me faisant ses adieux. Ne s'est-il pas refroidi envers moi! Son caractère a-t-il changé? Comme cela me paraîtrait triste!... A-t-il oublié tout le passé? Je ne saurais le croire. Mais aussi: comment expliquer qu'il reste des sept ou huit mois sans écrire*?... Et puis je vois en lui si peu de cordialité, qui me rappellerait le vieux temps! Je n'oublierai jamais ce qu'il a dit à K..., qui lui remettait ma demande de s'occuper de moi: *Il ferait mieux de rester en Sibérie.*» Il écrivit cela, il est vrai, mais, cette parole atroce, il ne demande au contraire qu'à l'oublier; la tendre lettre à Mikhaïl, dont je citais tout à l'heure un passage, est postérieure à celle-ci; peu après il écrivait à Vrangel: «Dites à mon frère que je le serre dans mes bras, que je lui demande pardon de toutes les peines que je lui ai causées; je me mets à genoux devant lui.» Enfin à son frère même il écrit le 21 août 1858 (lettre non donnée par Bienstock): «Cher ami, lorsque dans ma lettre d'octobre de l'an dernier je te faisais entendre les mêmes plaintes (au sujet de ton silence), tu m'as répondu qu'il t'avait été très pénible, très dur de les lire. O Micha! pour l'amour de Dieu, ne m'en veuille pas; songe que je suis seul et comme un caillou rejeté, — mon caractère a toujours été sombre, maladif, susceptible; songe à tout cela et pardonne-moi si mes plaintes ont été injustes et mes suppositions absurdes. Je suis bien convaincu moi-même que j'ai eu tort.»

---

*Durant ses quatre années de bagne, Dostoïevsky était resté sans nouvelles des siens; — le 22 février 1854, dix jours avant son élargissement, il écrivait à son frère la première des lettres de Sibérie dont nous avons connaissance, cette lettre admirable que je regrette de ne pas trouver dans le recueil de M. Bienstock: «Je puis enfin causer avec toi plus longuement, plus sûrement aussi, il me semble... Mais avant tout, laisse-moi te demander, au nom de Dieu, pourquoi tu ne m'as pas encore écrit une seule ligne. Je n'aurais jamais cru cela! Combien de fois, dans ma prison, dans ma solitude, ai-je senti venir le véritable désespoir en pensant que, peut-être, tu n'existais plus; et je réfléchissais durant des nuits entières au sort de tes enfants, et je maudissais la destinée qui ne me permettait pas de leur venir en aide... Se pourrait-il qu'on t'eût défendu de m'écrire? Mais cela est permis! Tous les condamnés politiques reçoivent ici plusieurs lettres par an... Mais je crois avoir deviné la véritable cause de ton silence: c'est ton apathie naturelle...»

Sans doute Hoffmann avait raison, et le lecteur occidental protestera devant si humble contrition; notre littérature, trop souvent teintée d'espagnolisme[17], nous enseigne si bien à voir une noblesse de caractère dans le non-oubli de l'injure!...
— Que dira-t-il donc, ce «lecteur occidental», lorsqu'il lira: «Vous écrivez que tout le monde aime le tsar. Moi, je l'adore»? Et Dostoïevsky est encore en Sibérie quand il écrit cela. Serait-ce de l'ironie? Non. De lettre en lettre, il y revient: «L'empereur est infiniment bon et généreux»; et quand, après dix ans d'exil, il sollicite tout à la fois la permission de rentrer à Saint-Pétersbourg et l'admission de son beau-fils Paul au Gymnase: «J'ai réfléchi que, si on me refuse une demande, peut-être ne pourra-t-on pas me refuser l'autre, et si l'empereur ne daigne pas m'accorder de vivre a Pétersbourg, peut-être acceptera-t-il de placer Paul, pour ne pas refuser tout à fait.»
Décidemment tant de soumission déconcerte. Nihilistes, anarchistes, socialistes même ne vont pouvoir tirer aucun parti de cela. Quoi! pas le moindre cri de révolte? sinon contre le tsar peut-être, qu'il est prudent de respecter, du moins contre la société, et contre ce cachot dont il sort vieilli? — Ecoutez donc comme il en parle: «Ce qu'il est advenu de mon âme et de mes croyances, de mon esprit et de mon cœur durant ces quatre ans, je ne te le dirai pas ce serait trop long. La constante méditation où je fuyais l'amère réalité n'aura pas été inutile. J'ai maintenant des désirs, des espérances qu'auparavant je ne prévoyais même pas*.» Et ailleurs: «Je te prie de ne pas te figurer que je suis aussi mélancolique et aussi soupçonneux que je l'étais à Pétersbourg les dernières années. Tout est complètement passé. D'ailleurs, c'est Dieu qui nous guide.» Et enfin, longtemps après, dans une lettre de 1872 à S. D. Janovsky, cet extraordinaire aveu (où les mots en italiques sont soulignés par Dostoïevsky): «Vous m'aimiez et vous vous occupiez de moi, de moi *malade*

---

*Lettre à Mikhaïl, du 22 février 1854, non donnée par Bienstock.

mentalement (car je le reconnais à présent), *avant mon voyage en Sibérie*, où je me suis guéri.»

Ainsi, pas une protestation! De la reconnaissance au contraire! Comme Job que la main de l'Eternel broie sans obtenir de son cœur un blasphème... Ce martyr est décourageant. Pour quelle foi vit-il? Quelles convictions le soutiennent? Peut-être, examinant ses *opinions*, autant du moins que dans cette correspondance elles apparaissent, comprendrons-nous les causes secrètes, que déjà nous commençons d'entrevoir, de cet *insuccès*, près du grand nombre, de cette non-faveur, de ce purgatoire de la gloire où s'attarde encore Dostoïevsky.

II

Homme d'aucun parti, craignant l'esprit de faction qui divise, il écrivait: «La pensée qui m'occupe le plus, c'est en quoi consiste notre communion d'idées, quels sont les points sur lesquels nous pourrions nous rencontrer, tous, de n'importe quelle tendance.» Profondément convaincu que, «en la pensée russe, se concilient les antagonismes» de l'Europe, lui, «vieil Européen russe», comme il se nommait, il travaillait de toutes les forces de son âme à cette unité russe, où dans un grand amour du pays et de l'humanité devaient se fondre tous les partis. «Oui, je partage votre opinion, que la Russie achèvera l'Europe, de par sa mission même. Cela m'est évident depuis longtemps», écrit-il de Sibérie. Ailleurs, il parle des Russes comme d'une *«nation vacante*, capable de se mettre à la tête des intérêts communs de l'humanité entière». Et si, par une conviction, peut-être seulement prématurée, il s'illusionnait sur l'importance du peuple russe (ce qui n'est nullement ma pensée), ce n'était point par infatuation chauvine mais par l'intuition et l'intelligence profonde qu'il avait lui-même, *en tant que Russe*, croyait-il, des raisons et des passions diverses des partis qui divisent l'Europe. Parlant de Pouchkine, il le loue de sa «faculté de sympathie universelle», puis ajoute: «Cette aptitude-là, il la partage précisément avec notre peuple, et c'est par là surtout qu'il est national.» Il considère l'âme russe comme «un terrain de conciliation de toutes les tendances européennes», et va jusqu'à s'écrier: «Quel est le vrai Russe qui ne pense pas avant tout à l'Europe!» jusqu'à prononcer cette étonnante parole: «Le vagabond russe a besoin du bonheur universel pour s'apaiser.»

Convaincu que «le caractère de la future avidité russe doit être au plus haut degré pan-humain, que l'idée russe sera peut-être la synthèse de toutes les idées que l'Europe développe avec tant de persévérance et de courage dans ses diverses nationalités», il tourne constamment vers l'étranger ses regards; ses jugements politiques et sociaux sur la France et sur l'Allemagne sont pour nous les plus intéressants passages de cette correspondance. Il voyage, s'attarde en Italie, en Suisse, en Allemagne, attiré par le désir de connaître d'abord, retenu des mois durant par la continuelle question pécuniaire, soit qu'il n'ait pas assez d'argent pour continuer son voyage, payer les dettes nouvelles, soit qu'il craigne de retrouver en Russie d'anciennes dettes et de regoûter de la prison... «Avec ma santé, dit-il à quarante-neuf ans, je ne supporterais pas même six mois dans un lieu d'emprisonnement, et, surtout, je ne pourrais travailler.»

Mais, à l'étranger, l'air de la Russie, le contact avec le peuple russe, tout aussitôt lui manquent: il n'est pour lui ni de Sparte, ni de Tolède, ni de Venise; il ne peut s'acclimater, se plaire même un instant nulle part. «Ah! Nicolas Nicolaïevitch, écrit-il à Strakhov, comme il m'est insupportable de vivre à l'étranger, je ne saurais vous l'exprimer!» Pas une lettre d'exil qui ne contienne la même plainte: «il faut que j'aille en Russie; ici, l'ennui m'écrase...» Et comme s'il puisait à même, là-bas, l'aliment secret de ses œuvres, comme si la sève, sitôt arraché de son sol, lui manquait: «Je n'ai pas de goût à écrire, Nicolas Nicolaïevitch, ou bien j'écris avec une grande souffrance. Qu'est-ce que cela veut dire, je ne saurais le comprendre. Je pense seulement que c'est le besoin de la Russie. Il faut revenir coûte que coûte.» Et ailleurs: «J'ai besoin de la Russie, pour mon travail et pour mes œuvres... J'ai senti avec trop de netteté que n'importe où que nous vivions, ce serait indifférent, à Dresde ou ailleurs, je serai partout dans un pays étranger, détaché de ma patrie.» Et encore: «Si vous saviez jusqu'à quel point je me sens tout à fait inutile et étranger!... Je deviens stupide et borné et je perds l'habitude de la Russie. Pas d'air russe, ni de personnes russes. Enfin, je ne comprends pas du tout les émigrants russes. Ce sont des fous.»

C'est pourtant à Genève, à Vevey qu'il écrit *l'Idiot*, *l'Éternel Mari*, *les Possédés*; n'importe! «Vous dites des paroles d'or à propos de mon travail ici; en effet, je resterai en arrière, non pas au point de vue du siècle, mais au point de vue de la connaissance de ce qui se passe chez nous (je le sais certainement mieux que vous, car *journellement!* je lis *trois* journaux russes jusqu'à la dernière ligne et je reçois *deux revues*), mais je me déshabituerai du *cours vivant de l'existence*; non pas de son idée, mais de son essence même; et comme cela agit sur le travail artistique!»

De sorte que cette «sympathie universelle» s'accompagne, se fortifie d'un nationalisme ardent qui, dans l'esprit de Dostoïevsky, en est le complément indispensable. Il proteste, sans lassitude, sans trêve contre ceux qu'on appelait alors là-bas les «progressistes», c'est-à-dire (j'emprunte cette définition à Strakhov), «cette race de politiciens qui attendaient les progrès de la culture russe, non point d'un développement organique du fonds national, mais d'une assimilation précipitée de l'enseignement occidental.» — «Le Français est avant tout Français, et l'Anglais Anglais, et leur but suprême est de rester eux-mêmes. C'est là qu'est leur force.» Il s'insurge «contre ces hommes qui déracinent les Russes», et n'attend pas Barrès pour mettre en garde l'étudiant qui, en «s'arrachant à la société et en l'abandonnant, ne va pas au peuple, mais quelque part, a l'étranger, dans l'*européisme*, dans le règne absolu de l'homme universel qui n'a jamais existé et, de cette façon, rompt avec le peuple, le méprise et le méconnaît». Tout comme Barrès à propos du «kantisme malsain», il écrit, dans la préface de la revue qu'il dirige*: «Quelque fertile que soit une idée importée de l'étranger, elle ne pourra prendre racine chez nous, s'acclimater et nous être réellement utile que si notre vie nationale sans aucune inspiration et poussée du dehors faisait surgir d'elle-même cette idée naturellement, pratiquement, par suite de sa nécessité, de son besoin reconnu pratiquement par tous. Aucune nation du monde, aucune société plus ou moins stable ne s'est formée sur un programme de commande, importé du dehors...» Et je ne connais pas dans Barrès déclaration plus catégorique ni plus pressante.

Mais tout à côté voici ce que je regrette de ne point trouver chez Barrès: La capacité de s'arracher pour un moment de son sol afin de se regarder sans parti pris est l'indice d'une très forte personnalité, en même temps que la capacité de regarder l'étranger avec bienveillance est un des dons les plus grands et les plus nobles de la nature. Et d'ailleurs Dostoïevsky ne semblait-il pas prévoir l'aveuglement jusqu'où devait nous entraîner cette doctrine: «Il est impossible de détromper le Français et de l'empêcher de se croire le premier homme de l'univers. D'ailleurs, il ne sait que très peu de l'univers... De plus il ne tient pas à savoir. C'est un trait commun à toute la nation et très caractéristique.»

Il se sépare plus nettement, plus heureusement encore, de Barrès, par son individualisme. Et, en regard de Nietzsche, il nous devient un admirable exemple pour montrer de combien peu d'infatuation, de suffisance, s'accompagne parfois de cette croyance en la valeur du moi. Il écrit: «Le plus difficile dans ce monde, c'est de rester soi-même»; et, «il ne faut gâcher sa vie pour aucun but»; car pour lui, non plus que sans patriotisme, sans individualisme il n'est nul moyen de servir l'humanité. Si quelques barrésistes lui étaient acquis par les déclarations que je citais tout à l'heure, quel barrésiste les déclarations que voici ne lui alièneraient-elles pas?

---

*Préface à la revue l'*Époque*, donnée par Bienstock en supplément à la correspondance.

De même, en lisant ces paroles: «Dans l'humanité nouvelle, l'idée esthétique est troublée. La base morale de la société, prise dans le positivisme, non seulement ne donne pas de résultats, mais ne peut pas se définir elle-même, s'embrouille dans les désirs et dans les idéals. Se trouve-t-il donc encore trop peu de faits pour prouver que la société ne se fonde pas ainsi, que ce ne sont pas ces chemins qui conduisent au bonheur et que le bonheur ne provient pas de là comme on le croyait jusqu'à présent? Mais alors d'où provient-il? On écrit tant de livres et on perd de vue le principal: à l'occident on a perdu le Christ... et l'occident tombe à cause de cela, uniquement à cause de cela.» Quel catholique français n'applaudirait... s'il ne se heurtait point devant l'incidente[18], que d'abord j'omettais: «On a perdu le Christ, — *par la faute du catholicisme.*» Quel catholique français dès lors oserait se laisser émouvoir par les larmes de piété dont cette correspondance ruisselle? En vain Dostoïevsky voudra-t-il «révéler au monde un Christ russe, inconnu à l'univers et dont le principe est contenu dans notre orthodoxie», — le catholique français, de par son orthodoxie à lui, se refusera d'écouter, — et c'est en vain, pour aujourd'hui du moins, que Dostoïevsky ajoutera: «A mon avis, c'est là que se trouve le principe de notre future puissance civilatrice et de la résurrection par nous de toute l'Europe, et toute l'essence de notre future force.»

De même encore si Dostoïevsky peut offrir à M. de Vogüé de quoi voir en lui «de l'acharnement contre la pensée, contre la plénitude de la vie,» une «sanctification de l'idiot, du neutre, de l'inactif», etc., nous lisons d'autre part dans la lettre à son frère, non donnée par Bienstock: «Ce sont des gens simples, me dira-t-on. Mais un homme simple est bien plus à craindre qu'un homme compliqué.» — A une jeune fille qui désirait «se rendre utile» et lui avait exprimé sa volonté de devenir infirmière ou sage-femme: «...en s'occupant régulièrement de son instruction on se prépare à une activité cent fois plus utile...», écrit-il; et

plus loin: «ne serait-il pas mieux de s'occuper de votre instruction supérieure?... La plupart de nos spécialistes sont des gens
profondément peu instruits... et la plupart de nos étudiants et
étudiantes sont tout à fait sans aucune instruction. Quel bien
peuvent-ils faire à l'humanité!» Et certes je n'avais pas besoin de
ces paroles pour comprendre que M. de Vogüé se trompait, mais
tout de même on pouvait se méprendre.

Dostoïevsky ne se laisse pas plus facilement enrôler pour ou
contre le socialisme; car, si Hoffmann est en droit de dire:
«Socialiste, dans le sens le plus humain du mot, Dostoïevsky
n'a jamais cessé de l'être», ne lisons-nous pas dans la correspondance; «Déjà le socialisme a rongé l'Europe; si on tarde trop, il
démolira tout.»

Conservateur, mais non traditionaliste; tsariste, mais démo-
crate; chrétien, mais non catholique romain; libéral, mais non
«progressiste», Dostoïevsky reste celui *dont on ne sait comment
se servir*. On trouve en lui de quoi mécontenter chaque parti. Car
il ne se persuada jamais qu'il eût trop de toute son intelligence
pour le rôle qu'il assumait — ou qu'en vue de fins immédiates,
il eût le droit d'incliner, de fausser cet instrument infiniment
délicat. «A propos de *toutes ces tendances possibles*, écrit-il, — et
les mots sont soulignés par lui, — qui se sont confondues en un
souhait de bienvenue pour moi (9 avril 1876), j'aurais voulu
écrire un article sur l'impression causée par ces lettres... Mais,
ayant réfléchi à cet article, je me suis soudain aperçu qu'il était
impossible de l'écrire en toute sincérité; alors, s'il n'y a pas de
sincérité, est-ce que cela vaut la peine de l'écrire?» Que veut-il
dire? Sans doute ceci: que pour écrire cet article opportun d'une
manière qui plaise à tous et en assure le succès, il lui faudrait
forcer sa pensée, la simplifier outre mesure, pousser enfin ses
convictions au delà de *leur naturel*. C'est là ce qu'il ne peut
consentir.

Par un individualisme sans dureté et qui se confond avec la
simple probité de pensée, il ne consent à présenter cette pensée

qu'en son intégrité complexe. Et son insuccès parmi nous n'a pas
de plus forte ni de plus secrète raison.

Et je ne prétends pas insinuer que les grandes convictions
emportent d'ordinaire avec elles une certaine improbité de
raisonnement; mais elles se passent volontiers d'intelligence; et
tout de même M. Barrès est trop intelligent pour n'avoir pas vite
compris que ce n'est pas en éclairant équitablement une idée sur
toutes ses faces qu'on lui fait faire un rapide chemin dans le
monde — mais en la poussant résolument d'un seul côté.

Pour faire réussir une idée, il faut ne mettre en avant qu'elle
seule, ou, si l'on préfère: pour réussir, il faut ne mettre en avant
qu'une idée. Trouver une bonne formule ne suffit pas; il s'agit de
n'en plus sortir. Le public, devant chaque nom, veut savoir à
quoi s'en tenir et ne supporte pas ce qui lui encombrerait le
cerveau. Quand il entend nommer: Pasteur, il aime à pouvoir
penser aussitôt: oui, la rage; Nietzsche? le surhomme; Curie?
le radium; Barrès? la terre et les morts; Quinton? le plasma;
tout comme on disait: Bornibus? sa moutarde. Et Parmentier, si
tant est qu'il ait «inventé» la pomme de terre, est plus connu,
grâce à ce seul légume, que si nous lui devions tout notre potager.

Dostoïevsky faillit connaître en France le succès, lorsque M.
de Vogüé inventa de nommer «religion de la souffrance» et de
clicher ainsi en une formule portative la doctrine qu'il trouvait
incluse dans les derniers chapitres de *Crime et châtiment*. Qu'elle
y soit, je le veux croire, et que la formule en soit heureusement
trouvée... Par malheur, elle ne contenait pas son homme; il
débordait de toutes parts. Car s'il était pourtant de ceux pour qui
«une seule chose est nécessaire: connaître Dieu», du moins, cette
connaissance de Dieu, voulait-il la répandre à travers son œuvre
dans son humaine et anxieuse complexité.

Ibsen non plus n'était pas facile à réduire; non plus qu'aucun de
ceux dont l'œuvre demeure plus interrogative qu'affirmative. Le
succès relatif des deux drames: *Maison de poupée* et *l'Ennemi du
peuple*, n'est point dû à leur précellence, mais cela vient de ce
qu'Ibsen y livre un semblant de conclusion. Le public est mal

satisfait par l'auteur qui n'aboutit pas à quelque solution bien saillante; c'est pécher par incertitude, croit-il, paresse de pensée ou faiblesse de conviction; et le plus souvent, goûtant fort peu l'intelligence, cette conviction il ne la jauge qu'à la violence, la persistance et l'uniformité de l'affirmation.

Désireux de ne point élargir encore un sujet déjà si vaste, je ne chercherai pas aujourd'hui à préciser sa doctrine; je voulais seulement indiquer ce qu'elle renferme de contradictions pour l'esprit occidental, peu accoutumé à ce désir de conciliation des extrêmes. Dostoïevsky reste convaincu que ces contradictions ne sont qu'apparentes entre le nationalisme et l'européisme, entre l'individualisme et l'abnégation; il pense que, pour ne comprendre qu'une des faces de cette question vitale, les partis opposés restent également distants de la vérité. Qu'on me permette encore une citation; elle éclairera sans doute mieux la position de Dostoïevsky qu'un commentaire ne pourrait faire*: «Faut-il donc être impersonnel pour être heureux? Le salut est-il dans l'effacement? Bien au contraire, dis-je, non seulement il ne faudrait pas s'effacer, mais il faudrait encore devenir une personnalité, même à un degré supérieur qu'on ne le devient dans l'Occident. Comprenez-moi: le sacrifice volontaire, en pleine conscience et libre de toute contrainte, le sacrifice de soi-même au profit de tous, est selon moi l'indice du plus grand développement de la personnalité, de sa supériorité, d'une possession parfaite de soi-même, du plus grand libre arbitre... Une personnalité fortement développée, tout à fait convaincue de son droit d'être une personnalité, ne craignant plus pour elle-même, ne peut rien faire d'elle-même, c'est-à-dire ne peut servir à aucun autre usage que de se sacrifier aux autres, afin que tous les autres deviennent exactement de pareilles personnalités arbitraires et heureuses. C'est la loi de la nature: l'homme normal tend à l'atteindre.»

---

*Je l'extrais d'un «Essai sur la bourgeoisie», chapitre d'un *Voyage à l'étranger*, que M. Bienstock a fort bien fait de publier avec la traduction de cette correspondance.

Cette solution, le Christ la lui enseigne; «Qui veut sauver sa vie la perdra: qui donnera sa vie pour l'amour de moi la rendra vraiment vivante.[19]»

Rentré à Pétersbourg dans l'hiver de 71-72, à cinquante ans, il écrit à Ianovsky: «Il faut l'avouer, la vieillesse arrive; et cependant on n'y songe pas, on se dispose encore à écrire de nouveau (il préparait les *Karamazov*), à publier quelque chose qui puisse contenter enfin; on attend encore quelque chose de la vie et cependant il est possible qu'on ait tout reçu. Je vous parle de moi; eh bien! je suis parfaitement heureux.» C'est ce bonheur, cette joie par delà la douleur, qu'on sent latente dans toute la vie et l'œuvre de Dostoïevsky, joie qu'avait parfaitement bien flairée Nietzsche, et que je reproche en toutes choses à M. de Vogüé, de n'avoir absolument pas distinguée.

Le ton des lettres de cette époque change brusquement. Ses correspondants habituels habitant avec lui Pétersbourg, ce n'est plus à eux qu'il écrit, mais à des inconnus, des correspondants de fortune qui s'adressent à lui pour être édifiés, consolés, guidés. Il faudrait presque tout citer; mieux vaut renvoyer au livre; je n'écris cet article que pour y amener mon lecteur.

Enfin, délivré de ses horribles soucis d'argent, il s'emploie de nouveau, durant les dernières années de sa vie, à diriger le *Journal d'un homme de lettres*, qui ne parut que de manière intermittente. «Je vous avoue, écrit-il au célèbre Aksakov, en novembre 1880, c'est-à-dire trois mois avant sa mort — je vous avoue, en ami, qu'ayant l'intention d'entreprendre dès l'année prochaine l'édition du *Journal*, j'ai souvent et longuement prié Dieu, à genoux, pour qu'il me donne un cœur pur, une parole pure, sans péché, sans envie, et incapable d'irriter.»

Dans ce *Journal* où M. de Vogüé ne savait voir que des «hymnes obscurs, échappant à l'analyse comme à la controverse», le peuple russe heureusement distinguait autre chose et Dostoïevsky put, autour de son œuvre, sentir se réaliser à peu près ce rêve d'unité des esprits, sans unification arbitraire.

À la nouvelle de sa mort, cette communion et confusion des esprits se manifesta de manière éclatante, et si d'abord «les éléments subversifs projetèrent d'accaparer son cadavre», on vit bientôt, «par une de ces fusions inattendues dont la Russie a le secret, quand une idée nationale l'échauffe, tous les partis, tous les adversaires, tous les lambeaux disjoints de l'empire rattachés par ce mort dans une communion d'enthousiasme». La phrase est de M. de Vogüé, et je suis heureux, après toutes les réserves que j'ai faites sur son étude, de pouvoir citer ces nobles paroles. «Comme on disait des anciens tsars qu'ils «rassemblaient» la terre russe, écrit-il plus loin, ce roi de l'esprit avait rassemblé là le cœur russe.»

C'est ce même ralliement d'énergies qu'il opère à présent à travers l'Europe, lentement, mystérieusement presque, — en Allemagne surtout où les éditions de ses œuvres se multiplient, en France enfin où la génération qui s'élève reconnaît et goûte, mieux que celle de M. de Vogüé, sa vertu. Les secrètes raisons qui différèrent son succès seront celles mêmes qui l'assureront plus durable.

NOTES

1. Fils d'un médecin, Féodor Mikhaïlovitch Dostoïevsky est né à Moscou en 1821 dans un logement d'hôpital. Après la mort de sa mère il fut envoyé par son père à l'école des ingénieurs à Saint-Pétersbourg; il y apprendra la mort de son père torturé puis tué par ses paysans exaspérés par les rages alcooliques et la brutalité de leur maître.

   Dostoïevsky tout entier tourné vers la littérature publie son premier roman, *les Pauvres Gens*, en 1841, œuvre accueillie favorablement par le poète Nékrassov et le critique Bielinski. Les œuvres qui suivirent n'eurent pas le même succès et Dostoïevsky, déçu, participe aux activités d'un groupe de libéraux; arrêté par la police du tsar, il est condamné à mort (1849) mais grâcié au dernier moment et déporté en Sibérie où il passera quatre ans.

   A la sortie, il est affecté à Semipalatinsk, à un régiment de tirailleurs; l'épilepsie dont il avait commencé à souffrir vers 1840 empire et les attaques deviennent plus fréquentes. A Semipalatinsk, il épouse une jeune veuve, Maria Dmitriyevna Issaev. Rentré à Saint-Pétersbourg, Dostoïevsky recommence à écrire. En 1861, il publie *Souvenirs de la maison des morts*, oeuvre où il décrit ses années en prison; en 1864, paraissent les *Mémoires écrits dans un souterrain*; son premier grand roman, *Crime et châtiment*, paraît en 1866. Criblé de dettes, comme il le sera pendant toute sa vie, Dostoïevsky doit écrire sans cesse pour gagner de l'argent.

Après la mort de sa première femme, Dostoïevsky se remarie en 1867. Lui et sa jeune femme quittent la Russie pour faire un voyage de quatre ans en Europe. Leur voyage est marqué par la naissance d'une fillette qui meurt au bout de quelques jours et par les pertes de Dostoïevsky au jeu. En 1868, il publie *l'Idiot* et en 1870 *les Possédés*.

Revenu en Russie, il rédige son *Journal d'un écrivain* (1873–1876–1880) et publie plusieurs romans dont *les Frères Karamazov* (1879–1880). Il succombe à une hémorragie le 28 janvier 1881.

2. **Hoffmann** N. Hoffmann, auteur de *Th. M. Dostoevsky: eine biographische Studie* (Berlin, 1896).

3. **informité** état de ce qui n'a pas de forme précise.

4. **parler autrui** faire parler ses personnages.

5. **fardeaux branchus** Les idées de Dostoïevsky lui viennent enchevêtrées et l'étouffent sous leurs poids mais il s'évertue en vain à n'en détacher qu'une car celle qu'il essaie d'en sortir entraîne d'autres idées avec elle.

6. **«Une longue patience»** «Le génie n'est qu'une plus grande aptitude à la patience», réflexion attribuée au naturaliste Buffon.

7. **m'écrire avec mesure** parler de moi avec justesse, sans perdre contrôle.

8. **qui fait de dignité vertu** qui fait une vertu de la dignité.

9. *Homo sum, et nihil humanum...* version abrégée du vers célèbre du dramaturge romain Térence (vers 190–159 av. J.-C.): «*Homo sum: humani nihil a me alienum puto*»: «Je suis homme: rien de ce qui est humain ne m'est étranger» (*l'Homme qui se punit lui-même*, I, 1, 25).

10. **Maria Dostoïevsky** mourut le 4 avril 1864; son frère aîné **Mikhaïl** le 10 juillet 1864.

11. **mal sacré** l'épilepsie.

12. *Roussky Viestnik* «Messager de Russie», revue où tous les grands romans de Dostoïevsky ont paru en feuilleton.

13. **pudenda moraux** Les pudenda sont, au sens propre, les parties génitales externes. Ici on fait allusion à la franchise des lettres de Baudelaire. L'artiste, selon M. Mendès, devrait voiler ses fautes morales comme les parties réprouvées de son corps.

14. **«Le royaume... honte»** Ces paroles attribuées au Christ ne se trouvent pas dans la Bible. Le sens en est que la conséquence du péché étant le vêtement adopté comme écran entre l'homme et Dieu, la nudité signifierait la grâce retrouvée.

15. **un grand enfant fainéant** Il s'agit du beau-fils de Dostoïevsky, Pavel Issaev.

16. **Pétersbourg** Saint-Pétersbourg, capitale de l'Empire russe jusqu'en 1918.

17. **espagnolisme,** allusion à la fierté habituellement associée avec les Espagnols.

18. **incidente** proposition incidente: proposition accessoire dans une phrase qui, rattachée d'habitude à la phrase par un pronom relatif, complète sa signification. Ici «par la faute du catholicisme» est la proposition incidente qui complète la signification de la proposition principale «on a perdu le Christ».

19. **«*Qui... vivante*»** Matthieu 16:25.

Valéry | Baudelaire

Baudelaire[1] est au comble de la gloire. Ce petit volume des *Fleurs du Mal*, qui ne compte pas trois cents pages, balance dans l'estime des lettrés les œuvres les plus illustres et les plus vastes. Il a été traduit dans la plupart des langues européennes; c'est un fait sur lequel je m'arrêterai un instant, car il est, je crois, sans exemple dans l'histoire des Lettres françaises.

Les poètes français ne sont généralement que peu connus et peu goûtés de l'étranger. On nous accorde plus aisément l'avantage de la prose; mais la puissance poétique nous est chichement et difficilement concédée. L'ordre et l'espèce de rigueur qui règnent dans notre langue depuis le xviie siècle, notre accentuation particulière, notre stricte prosodie,[2] notre goût de la simplification et de la clarté immédiate, notre crainte de l'exagération et du ridicule, une sorte de pudeur dans l'expression, et la tendance abstraite de notre esprit nous ont fait une poésie assez différente de celle des autres nations, et qui leur est le plus souvent imperceptible. La Fontaine paraît insipide aux étrangers. Racine leur est interdit. Ses harmonies sont trop subtiles, son dessin trop pur, son discours trop élégant et trop nuancé, pour n'être pas insensibles à ceux-là qui n'ont pas de notre langage une connaissance intime et originelle.

Victor Hugo lui-même n'a guère été répandu hors de France que par ses romans.

Mais avec Baudelaire, la poésie française sort enfin des frontières de la nation. Elle se fait lire dans le monde; elle s'impose comme la poésie même de la modernité; elle engendre l'imitation, elle féconde de nombreux esprits. Des hommes tels que Swinburne, Gabriele d'Annunzio, Stefan George, témoignent magnifiquement de l'influence baudelairienne à l'extérieur.

Je puis donc dire que s'il est, parmi nos poètes, des poètes plus grands et plus puissamment doués que Baudelaire, il n'en est point de plus *important*.

A quoi tient cette importance singulière? Comment un être aussi particulier, aussi éloigné de la moyenne que Baudelaire l'était, a-t-il pu engendrer un mouvement aussi étendu?

Cette grande faveur posthume, cette fécondité spirituelle, cette gloire qui est à son plus haut période, doivent dépendre non seulement de sa valeur propre en tant que poète, mais encore de circonstances exceptionnelles. C'est une circonstance exceptionnelle qu'une intelligence critique associée à la vertu de poésie. Baudelaire doit à cette rare alliance une découverte capitale. Il était né sensuel et précis; il était d'une sensibilité dont l'exigence le conduisait aux recherches les plus délicates de la forme; mais ces dons n'eussent fait de lui qu'un émule de Gautier, sans doute, ou un excellent artiste du Parnasse,[3] s'il n'eût, par la curiosité de son esprit, mérité la chance de découvrir dans les ouvrages d'Edgar Poe un *nouveau monde intellectuel*. Le démon de la lucidité, le génie de l'analyse, et l'inventeur des combinaisons les plus neuves et les plus séduisantes de la logique avec l'imagination, de la mysticité avec le calcul, le psychologue de l'exception, l'ingénieur littéraire qui approfondit et utilise toutes les ressources de l'art, lui apparaissent en Edgar Poe et l'émerveillent. Tant de vues originales et de promesses extraordinaires l'ensorcellent. Son talent en est transformé, sa destinée en est magnifiquement changée.

Je reviendrai tout à l'heure sur les effets de ce magique contact de deux esprits.

Mais je dois considérer maintenant une seconde circonstance remarquable de la formation de Baudelaire.

Au moment qu'il arrive à l'âge d'homme, le romantisme est à son apogée; une éblouissante génération est en possession de l'empire des Lettres: Lamartine, Hugo, Musset, Vigny sont les maîtres de l'instant.

Plaçons-nous dans la situation d'un jeune homme qui arrive en 1840 à l'âge d'écrire. Il est nourri de ceux que son instinct lui commande impérieusement d'abolir. Son existence littéraire qu'ils ont provoquée et alimentée, que leur gloire a excitée, que leurs ouvrages ont déterminée, toutefois, est nécessairement suspendue à la négation, au renversement, au remplacement de ces hommes qui lui semblent remplir tout l'espace de la renommée et lui interdire, l'un, le monde des formes; l'autre, celui des sentiments; un autre, le pittoresque; un autre, la profondeur.

Il s'agit de se distinguer à tout prix d'un ensemble de grands poètes exceptionnellement réunis par quelque hasard, dans la même époque, tous en pleine vigueur.

Le problème de Baudelaire pouvait donc, — devait donc, — se poser ainsi: «être un grand poète, mais n'être ni Lamartine, ni Hugo, ni Musset». Je ne dis pas que ce propos fût conscient, mais il était nécessairement en Baudelaire, — et même essentiellement Baudelaire. Il était sa raison d'État.[4] Dans les domaines de la création, qui sont aussi les domaines de l'orgueil, la nécessité de se distinguer est indivisible de l'existence même. Baudelaire écrit dans son projet de préface aux *Fleurs du Mal*: «*Des poètes illustres s'étaient partagé depuis longtemps les provinces les plus fleuries du domaine poétique, etc. Je ferai donc autre chose...*»

En somme, il est amené, il est contraint, par l'état de son âme et des données, à s'opposer de plus en plus nettement au système, ou à l'absence de système, que l'on appelle le romantisme. Je ne vais pas définir ce terme. Il faudrait, pour s'y essayer, avoir perdu tout sentiment de la rigueur. Je ne m'occupe ici que de restituer les réactions et les intuitions les plus probables de notre poète «à l'état naissant» quand il se confronte à la littérature de son époque. Baudelaire en reçoit une certaine impression qu'il nous est permis, et même assez facile, de reconstituer. Nous possédons, en effet, grâce à la suite du temps et au développement ultérieur des événements littéraires, — grâce même à Baudelaire, à son œuvre et à la fortune de cette œuvre, — un moyen simple et sûr de préciser quelque peu notre idée nécessairement vague, et tantôt reçue, tantôt tout arbitraire, du romantisme. *Ce moyen consiste dans l'observation de ce qui a succédé au romantisme,* qui est venu l'altérer, lui apporter des corrections et des contradictions, et enfin se substituer à lui. Il suffit de considérer les mouvements et les œuvres qui se sont produits après lui, contre lui, et qui furent inévitablement, automatiquement, des *réponses exactes* à ce qu'il était. Le romantisme ainsi regardé fut donc ce à quoi le naturalisme riposta, et ce contre quoi s'assembla le Parnasse; et il fut mêmement ce qui détermina l'attitude particulière de Baudelaire. Il fut ce qui suscita presque simultanément contre soi la volonté de perfection, — le mysticisme de «l'art pour l'art», — l'exigence de l'observation et de la fixation impersonnelle des choses; *le désir,* en un mot, *d'une substance plus solide et d'une forme plus savante et plus pure.* Rien ne nous renseigne plus clairement sur les romantiques que l'ensemble des programmes et des tendances de leurs successeurs.

Peut-être que les vices du romantisme ne sont que les excès inséparables de la confiance en soi-même?... L'adolescence des nouveautés est avantageuse. La sagesse, le calcul et, en somme, la perfection ne paraissent qu'au moment de l'économie des forces.

Quoi qu'il en soit, l'ère des scrupules commence vers le temps de la jeunesse de Baudelaire. Gautier déjà proteste et réagit contre le relâchement des conditions de la forme, contre l'indigence ou l'impropriété du langage. Bientôt les efforts divers de Sainte-Beuve, de Flaubert, de Leconte de Lisle, s'opposeront à la facilité passionnée, à l'inconsistance du style, aux débordements de niaiserie et de bizarrerie... Parnassiens et réalistes consentiront à perdre en intensité apparente, en abondance, en mouvement oratoire, ce qu'ils gagneront en profondeur, en vérité, en qualité technique et intellectuelle.

Je dirai, en résumé, que la substitution de ces diverses «écoles» au romantisme peut se concevoir comme la substitution d'une action réfléchie à une action spontanée.

L'œuvre romantique, *en général*, supporte assez mal une lecture ralentie et hérissée des résistances d'un lecteur difficile et raffiné.

Baudelaire était ce lecteur. Baudelaire a le plus grand intérêt, — un intérêt vital, — à percevoir, à constater, à s'exagérer toutes les faiblesses et les lacunes du romantisme, observées de tout près dans les œuvres et dans les personnes de ses plus grands hommes. *Le romantisme est à son apogée,* a-t-il pu se dire, *donc il est mortel;* et il a pu considérer les dieux et les demi-dieux du moment, de cet œil dont Talleyrand et Metternich, vers 1807, regardaient étrangement le maître du monde...

Baudelaire regardait Victor Hugo; il n'est pas impossible de conjecturer ce qu'il en pensait. Hugo régnait; il avait pris sur Lamartine l'avantage d'un *matériel* infiniment plus puissant et plus précis. Le vaste registre de ses mots, la diversité de ses rythmes, la surabondance de ses images écrasaient toute poésie rivale. Mais son œuvre parfois sacrifiait au vulgaire, se perdait dans l'éloquence prophétique et dans les apostrophes infinies. Il coquetait avec la foule, il dialoguait avec Dieu. La simplicité de sa philosophie, la disproportion et l'incohérence des développements, le contraste fréquent des merveilles du détail avec la fragilité du prétexte et l'inconsistance de l'ensemble, tout enfin ce qui pouvait choquer, et donc instruire et orienter vers son art personnel futur un observateur jeune et impitoyable, Baudelaire devait le noter en soi-même, et démêler, de l'admiration que lui imposaient les dons prestigieux de Hugo, les impuretés, les imprudences, les points vulnérables de son œuvre, — c'est-à-dire les possibilités de vie et les chances de gloire qu'un si grand artiste laissait à cueillir.

Si l'on y mettait quelque malice et un peu plus d'ingéniosité qu'il ne convient, il ne serait que trop tentant de rapprocher la poésie de Victor Hugo de celle de Baudelaire, dans le dessein de faire paraître celle-ci comme exactement *complémentaire* de celle-là. Je n'y insiste pas. On voit assez que Baudelaire a recherché ce que Victor Hugo n'avait pas fait; qu'il s'abstient de tous les effets dans lesquels Victor Hugo était invincible; qu'il revient à une prosodie moins libre et scrupuleusement éloignée de la prose; qu'il poursuit et rejoint presque toujours la production du *charme*[5] *continu,* qualité inappréciable et comme transcendante de certains poèmes, — mais qualité qui se rencontre peu, et ce peu rarement pur, dans l'œuvre immense de Victor Hugo.

Baudelaire, d'ailleurs, n'a pas connu, ou n'a connu qu'à peine, le dernier Victor Hugo, celui des extrêmes erreurs et des suprêmes beautés. *La Légende des Siècles*[6] paraît deux ans après *Les Fleurs du Mal.* Quant aux œuvres postérieures d'Hugo, elles n'ont été publiées que longtemps après la mort de Baudelaire. Je leur attribue une importance technique infiniment supérieure à celle de tous les autres vers d'Hugo. Ce n'est pas le lieu et je n'ai pas le temps de développer cette opinion. Je ne ferai qu'esquisser une digression possible. Ce qui me frappe dans Victor Hugo, c'est une puissance vitale incomparable. Puissance vitale, c'est-à-dire longévité et capacité de travail *combinées*; longévité *multipliée par* capacité de travail. Pendant plus de soixante années, cet homme extraordinaire est à l'ouvrage tous les jours de cinq heures à midi! il ne cesse de provoquer les combinaisons du langage, de les vouloir, de les attendre, et de les entendre lui répondre. Il écrit cent ou deux cent mille vers, et acquiert par cet exercice ininterrompu une manière de penser singulière, que des critiques superficiels ont jugée comme ils le pouvaient. Mais, au cours de cette longue carrière, Hugo ne s'est pas lassé de s'accomplir et de se fortifier dans son art; et sans doute, il pèche de plus en plus contre le choix, il perd de plus en plus le sentiment des proportions, il empâte ses vers de mots indéterminés, vagues et vertigineux, et il y place l'abîme, l'infini, l'absolu, si abondamment et si aisément que ces termes monstrueux en perdent jusqu'à l'apparence de profondeur qui leur est accordée par l'usage. Mais encore, quels vers prodigieux, quels vers auxquels aucuns vers ne se comparent en étendue, en organisation intérieure, en résonance, en plénitude, n'a-t-il pas écrits dans la dernière période de sa vie! Dans *La Corde d'airain*, dans *Dieu*, dans *La Fin de Satan*,[7] dans la pièce sur la mort de Gautier,[8] l'artiste septuagénaire, qui a vu mourir tous ses émules, qui a pu voir naître de soi toute une génération de poètes, et même profiter des enseignements inappréciables que le disciple donnerait au maître si le maître durait, le vieillard très illustre atteint le plus haut point de la puissance poétique et de la noble science du versificateur.

Hugo n'a point cessé d'apprendre par la pratique; Baudelaire, dont la durée de vie excède à peine la *moitié* de celle d'Hugo, se développe d'une tout autre manière. On dirait que ce peu du temps qu'il a à vivre, il en doit compenser la brièveté probable et l'insuffisance pressentie par l'emploi de cette intelligence critique dont j'ai parlé tout à l'heure. Une vingtaine d'années lui sont accordées pour atteindre le point de sa perfection propre, reconnaître son domaine personnel et définir une forme et une attitude spécifiques qui porteront et préserveront son nom*. Il n'a pas le temps, il n'aura pas le temps de poursuivre à loisir ces beaux objets de la volonté littéraire, au moyen du grand nombre des expériences et de la multiplication des œuvres. Il faut prendre le plus court chemin, viser à l'économie des tâtonnements, épargner les redites et les entreprises divergentes; il faut donc chercher ce que l'on est, ce que l'on peut, ce que l'on veut, par les voies de l'analyse, et unir en soi-même aux vertus spontanées d'un

---

* Je te donne ces vers afin que si mon nom
  Aborde heureusement aux époques lointaines[9]...

poète la sagacité, le scepticisme, l'attention et la faculté raisonneuse d'un critique.

C'est en quoi Baudelaire, quoique romantique d'origine, et même romantique par ses goûts, peut quelquefois faire figure d'un *classique*. Il y a une infinité de manières de définir, ou de croire définir le classique. Nous adopterons aujourd'hui celle-ci : *classique est l'écrivain qui porte un critique en soi-même, et qui l'associe intimement à ses travaux.* Il y avait un Boileau en Racine, ou une image de Boileau.

Qu'était-ce, après tout, que de *choisir* dans le romantisme, et que de discerner en lui un bien et un mal, un faux et un vrai, des faiblesses et des vertus, sinon faire à l'égard des auteurs de la première moitié du XIXᵉ siècle ce que les hommes du temps de Louis XIV ont fait à l'égard des auteurs du XVIᵉ ? *Tout classicisme suppose un romantisme antérieur.* Tous les avantages que l'on attribue, toutes les objections que l'on fait à un art «classique» sont relatifs à cet axiome. *L'essence du classicisme est de venir après.* L'*ordre* suppose un certain désordre qu'il vient réduire. La *composition*, qui est artifice, succède à quelque chaos primitif d'intuitions et de développements naturels. La *pureté* est le résultat d'opérations infinies sur le langage, et le soin de la *forme* n'est autre chose que la réorganisation méditée des moyens d'expression. Le classique implique donc des actes volontaires et réfléchis qui modifient une production «naturelle», conformément à une conception *claire* et *rationnelle* de l'homme et de l'art. Mais, comme on le voit par les sciences, nous ne pouvons faire œuvre rationnelle et construire par ordre que moyennant un ensemble de *conventions*. L'art classique se reconnaît à l'existence, à la netteté, à l'absolutisme de ces conventions; qu'il s'agisse des trois unités,[10] des préceptes prosodiques, des restrictions du vocabulaire, ces règles d'apparence arbitraire firent sa force et sa faiblesse. Peu comprises de nos jours et devenues difficiles à défendre, presque impossibles à observer, elles n'en procèdent pas moins d'une antique, subtile et profonde entente des conditions de la jouissance intellectuelle *sans mélange*.

Baudelaire, au milieu du romantisme, fait songer à quelque classique, mais il ne fait que d'y faire songer. Il est mort jeune, et d'ailleurs il a vécu sous l'impression détestable que donnait aux hommes de son temps la survivance misérable de l'ancien classicisme de l'Empire. Il ne s'agissait point de ranimer ce qui était bien mort, mais peut-être de retrouver par d'autres voies l'esprit qùi n'était plus dans ce cadavre.

Les romantiques avaient négligé tout, ou presque tout ce qui demande à la pensée une attention et une suite un peu pénibles. Ils recherchaient les effets de choc, d'entraînement et de contraste. La mesure, ni la rigueur, ni la profondeur ne les tourmentaient à l'excès. Ils répugnaient à la réflexion abstraite et au raisonnement, et non seulement dans leurs œuvres, mais encore dans la préparation de leurs œuvres — ce qui est infiniment plus grave. On eût dit que les Français eussent oublié leurs dons analytiques. Il convient de noter ici que les romantiques s'élevaient contre le XVIIIe siècle bien plus que contre le XVIIe, et accusaient aisément d'avoir été superficiels des hommes infiniment plus instruits, plus curieux de faits et d'idées, plus inquiets de précisions et de pensée à grande échelle qu'ils ne le furent jamais eux-mêmes.

Dans une époque où la science allait prendre des développements extraordinaires, le romantisme manifestait un état d'esprit antiscientifique. La passion et l'inspiration se persuadent qu'elles n'ont besoin que d'elles-mêmes.

Mais, sous un tout autre ciel, au milieu d'un peuple tout occupé de son développement matériel, encore indifférent au passé, organisant son avenir et laissant aux expériences de toute nature la plus entière liberté, un homme, vers le même temps, s'était trouvé pour considérer les choses de l'esprit, et parmi elles, la production littéraire, avec une netteté, une sagacité, une lucidité qui ne s'étaient jamais à ce point rencontrées dans une tête douée de l'invention poétique. Jamais le problème de la littérature n'avait été, jusqu'à Edgar Poe, examiné dans ses prémisses, réduit à un problème de psychologie, abordé au moyen d'une analyse où la logique et la mécanique des effets étaient délibérément employées. Pour la première fois, les rapports de l'œuvre et du lecteur étaient élucidés et donnés comme les fondements positifs de l'art. Cette analyse, — et c'est là une circonstance qui nous assure de sa valeur, — s'applique et se vérifie aussi nettement dans tous les domaines de la production littéraire. Les mêmes observations, les mêmes distinctions, les mêmes remarques quantitatives, les mêmes idées directrices s'adaptent également aux ouvrages destinés à agir puissamment et brutalement sur la sensibilité, à conquérir le public amateur d'émotions fortes ou d'aventures étranges, comme elles régissent les genres les plus raffinés et l'organisation délicate des créatures du poète.

Dire que cette analyse est valable dans l'ordre du conte comme elle l'est dans l'ordre du poème, qu'elle est applicable à la construction de l'imaginaire et du fantastique aussi bien qu'à la restitution et à la représentation littéraire de la vraisemblance, c'est dire qu'elle est remarquable par sa généralité. Le propre de ce qui est vraiment général est d'être fécond. Parvenir au point où l'on domine tout le champ d'une activité, c'est apercevoir nécessairement une quantité de possibles: des domaines inexplorés, des chemins à tracer, des terres à exploiter, des cités à édifier, des relations à établir, des procédés à étendre. Il n'est donc pas étonnant que Poe, en possession d'une méthode si puissante et si sûre, se soit fait l'inventeur de plusieurs genres, ait donné les premiers et les plus saisissants exemples du conte scientifique, du poème cosmogonique moderne, du roman de l'instruction criminelle, de l'introduction dans la littérature des états psychologiques morbides, et que toute son œuvre manifeste à chaque page l'acte d'une intelligence et d'une volonté d'intelligence qui ne s'observent, à ce degré, dans aucune autre carrière littéraire.

Ce grand homme serait aujourd'hui complètement oublié, si Baudelaire ne se fût employé à l'introduire dans la littérature européenne. Ne manquons pas d'observer ici que la gloire universelle d'Edgar Poe n'est faible ou contestée que dans son pays d'origine et en Angleterre. Ce poète anglo-saxon est étrangement méconnu par les siens.

Autre remarque: *Baudelaire, Edgar Poe échangent des valeurs.*

Chacun d'eux donne à l'autre ce qu'il a; il en reçoit ce qu'il n'a pas. Celui-ci livre à celui-là tout un système de pensées neuves et profondes. Il l'éclaire, il le féconde, il détermine ses opinions sur une quantité de sujets: philosophie de la composition, théorie de l'artificiel, compréhension et condamnation du moderne, importance de l'exceptionnel et d'une certaine étrangeté, attitude aristocratique, mysticité, goût de l'élégance et de la précision, politique même... Tout Baudelaire en est imprégné, inspiré, approfondi.

Mais, en échange de ces biens, Baudelaire procure à la pensée de Poe une étendue infinie. Il la propose à l'avenir. Cette étendue qui change le poète en lui-même, dans le grand vers de Mallarmé*, c'est l'acte, c'est la traduction, ce sont les préfaces de Baudelaire qui l'ouvrent et qui l'assurent à l'ombre du misérable Poe.

Je n'examinerai pas tout ce que doivent les Lettres à l'influence de cet inventeur prodigieux. Qu'il s'agisse de Jules Verne et de ses émules, de Gaboriau et de ses semblables, ou, dans des genres bien plus relevés, que l'on évoque les productions de Villiers de l'Isle-Adam, ou celles de Dostoïevski, il est aisé de voir que les *Aventures de Gordon Pym*, le *Mystère de la rue Morgue*, *Ligéia*, *Le Cœur révélateur*[12] leur ont été des modèles abondamment imités, profondément étudiés, jamais surpassés.

Je me demanderai seulement ce que peut devoir la poésie de Baudelaire, et plus généralement la poésie française, à la découverte des œuvres d'Edgar Poe.

Quelques poèmes des *Fleurs du Mal* tirent des poèmes de Poe leur sentiment et leur substance. Quelques-uns contiennent des vers qui sont d'exactes transpositions; mais je négligerai ces emprunts particuliers, dont l'importance n'est, en quelque sorte, que locale.

Je ne retiendrai que l'essentiel, qui est l'idée même que Poe s'était faite de la poésie. Sa conception, qu'il a exposée dans divers articles, a été le principal agent de la modification des idées

---

*Tel qu'en Lui-même enfin l'éternité le change[11]...

et de l'art de Baudelaire. Le travail de cette théorie de la composition dans l'esprit de Baudelaire, les enseignements qu'il en a déduits, les développements qu'elle a reçus de sa postérité intellectuelle, — et surtout sa grande valeur intrinsèque, — exigent que nous nous arrêtions quelque peu à l'examiner.

Je ne cacherai pas que le fond des pensées de Poe tient à une certaine métaphysique qu'il s'était faite. Mais cette métaphysique, si elle dirige et domine et suggère les théories dont il s'agit, toutefois ne les pénètre pas. Elle les engendre et en explique la génération; elle ne les constitue pas.

Les idées d'Edgar Poe sur la poésie sont exprimées dans quelques essais dont le plus important (et celui qui concerne le moins la technique des vers anglais) a pour titre: *Le Principe poétique* (*The Poetic Principle*).

Baudelaire a été si profondément touché par cet écrit, il en a reçu une impression si intense qu'il en a considéré le contenu, et non seulement le contenu mais la forme elle-même, *comme son propre bien*.

L'homme ne peut qu'il ne s'approprie ce qui lui semble si exactement *fait pour lui* qu'il le regarde malgré soi comme fait *par lui*... Il tend irrésistiblement à s'emparer de ce qui convient étroitement à sa personne; et le langage même confond sous le nom de *bien* la notion de ce qui est adapté à quelqu'un et le satisfait entièrement avec celle de la propriété de ce quelqu'un...

Or Baudelaire, quoique illuminé et possédé par l'étude du *Principe poétique*, — ou, bien plutôt, par cela même qu'il en était illuminé et possédé, — n'a pas inséré la traduction de cet essai dans les œuvres mêmes d'Edgar Poe; mais il en a introduit la partie la plus intéressante, à peine défigurée et les phrases interverties, dans la préface qu'il a placée en tête de sa traduction des *Histoires extraordinaires*. Le plagiat serait contestable si son auteur ne l'eût accusé lui-même comme on va le voir: dans un article sur Théophile Gautier*[13], il a reproduit tout le passage

---

*Recueillie dans *L'Art romantique*.

dont je parle, en le faisant précéder de ces lignes très claires et très surprenantes: *Il est permis quelquefois, je présume, de se citer soi-même pour éviter de se paraphraser. Je répéterai donc...* Suit le passage emprunté.

Que pensait donc Edgar Poe de la Poésie? Je résumerai ses idées en quelques mots. Il analyse les conditions psychologiques d'un poème. Parmi ces conditions, il met au premier rang celles qui dépendent des *dimensions* des ouvrages poétiques. Il donne à la considération de leur longueur une importance singulière. Il examine, d'autre part, la substance même de ces ouvrages. Il établit aisément qu'il existe une quantité de poèmes qui sont occupés de notions auxquelles la prose eût suffi comme véhicule. L'histoire, la science, ni la morale ne gagnent point à être exposées dans le langage de l'âme. La poésie didactique, la poésie historique ou l'éthique, quoique illustrées et consacrées par les plus grands poètes, combinent étrangement les données de la connaissance discursive ou empirique, avec les créations de l'être intime et les puissances de l'émotion.

Poe a compris que la poésie moderne devait se conformer à la tendance d'une époque qui a vu se séparer de plus en plus nettement les modes et les domaines de l'activité, et qu'elle pouvait prétendre à réaliser son objet propre et à se produire, en quelque sorte, *à l'état pur*.

Ainsi, analyse des conditions de la volupté poétique, définition par *exhaustion* de la *poésie absolue*, — Poe montrait une voie, il enseignait une doctrine très séduisante et très rigoureuse, dans laquelle une sorte de mathématique et une sorte de mystique s'unissaient...

Si nous regardons à présent l'ensemble des *Fleurs du Mal*, et si nous prenons soin de comparer ce recueil aux ouvrages poétiques de la même période, nous ne serons pas étonnés de trouver l'œuvre de Baudelaire remarquablement conforme aux préceptes de Poe, et par là remarquablement différente des productions romantiques. *Les Fleurs du Mal* ne contiennent ni poèmes historiques ni légendes; rien qui repose sur un récit. On n'y voit point de tirades philosophiques. La politique n'y paraît point. Les descriptions y sont rares, et toujours *significatives*. Mais tout y est charme, musique, sensualité puissante et abstraite... Luxe, forme et volupté.[14]

Il y a dans les meilleurs vers de Baudelaire une combinaison de chair et d'esprit, un mélange de solennité, de chaleur et d'amertume, d'éternité et d'intimité, une alliance rarissime de la volonté avec l'harmonie, qui les distinguent nettement des vers romantiques comme ils les distinguent nettement des vers parnassiens. Le Parnasse ne fut pas excessivement tendre pour Baudelaire. Leconte de Lisle lui reprochait sa stérilité. Il oubliait que la véritable fécondité d'un poète ne consiste pas dans le nombre de ses vers, mais bien plutôt dans l'étendue de leurs effets. On ne peut en juger que dans la suite des temps. Nous voyons aujourd'hui que la résonance, après plus de soixante ans, de l'œuvre unique et très peu volumineuse de Baudelaire emplit encore toute la sphère poétique, qu'elle est présente aux esprits, impossible à négliger, renforcée par un nombre remarquable d'œuvres qui en dérivent, qui n'en sont point des imitations mais des conséquences, et qu'il faudrait donc, pour être équitable, adjoindre au mince recueil des *Fleurs du Mal* plusieurs ouvrages de premier ordre et un ensemble de recherches les plus profondes et les plus fines que jamais la poésie ait entreprises. L'influence des *Poèmes Antiques* et des *Poèmes Barbares*[15] a été moins diverse et moins étendue.

Il faut reconnaître, cependant, que cette même influence, si elle se fût exercée sur Baudelaire, l'eût peut-être dissuadé d'écrire ou de conserver certains vers très relâchés qui se rencontrent dans son livre. Sur les quatorze vers du sonnet *Recueillement*, qui est une des plus charmantes pièces de l'ouvrage, je m'étonnerai toujours d'en compter cinq ou six qui sont d'une incontestable faiblesse. Mais les premiers et les derniers vers de cette poésie sont d'une telle magie que le milieu ne fait pas sentir son ineptie et se tient aisément pour nul et inexistant. Il faut un très grand poète pour ce genre de miracles.

Tout à l'heure je parlais de la production du *charme*, et voici que je viens de prononcer le nom de *miracle*; et sans doute, ce sont des termes dont il faut user discrètement à cause de la force de leur sens et de la facilité de leur emploi; mais je ne saurais les remplacer que par une analyse si longue, et peut-être si contestable, que l'on m'excusera de l'épargner à celui qui devrait la faire comme à ceux qui la devraient subir. Je demeurerai dans le vague, me bornant à suggérer ce qu'elle pourrait être. Il faudrait faire voir que le langage contient des ressources émotives mêlées à ses propriétés pratiques et directement significatives. Le devoir, le travail, la fonction du poète sont de mettre en évidence et en action ces puissances de mouvement et d'enchantement, ces excitants de la vie affective et de la sensibilité intellectuelle, qui sont confondus dans le langage usuel avec les signes et les moyens de communication de la vie ordinaire et superficielle. Le poète se consacre et se consume donc à définir et à construire un langage dans le langage; et son opération, qui est longue, difficile, délicate, qui demande les qualités les plus diverses de l'esprit, et qui jamais n'est achevée comme jamais elle n'est exactement possible, tend à constituer le discours d'un être plus pur, plus puissant et plus profond dans ses pensées, plus intense dans sa vie, plus élégant et plus heureux dans sa parole que n'importe quelle personne réelle. Cette parole extraordinaire se fait connaître et reconnaître par le rythme et les harmonies qui la soutiennent et qui doivent être si intimement, et même si mystérieusement liés à sa génération, que le son et le sens ne se puissent plus séparer et se répondent indéfiniment dans la mémoire.

La poésie de Baudelaire doit sa durée et cet empire qu'elle exerce encore, à la plénitude et à la netteté singulière de son timbre. Cette voix, par instants, cède à l'éloquence, comme il arrivait un peu trop souvent aux poètes de cette époque; mais elle garde et développe presque toujours une ligne mélodique admirablement pure et une sonorité parfaitement tenue qui la distinguent de toute prose.

Baudelaire, par là, a réagi très heureusement contre la tendance au prosaïsme qui s'observe dans la poésie française depuis le milieu du xviie siècle. Il est remarquable que le même homme, à qui nous devons ce retour de notre poésie vers son essence, est aussi l'un des premiers écrivains français qui se soient passionnément intéressés à la musique proprement dite. Je fais mention de ce goût, qui s'est manifesté par des articles célèbres sur *Tannhäuser* et sur *Lohengrin*,[16] à cause du développement ultérieur de l'influence de la musique sur la littérature... «*Ce qui fut baptisé le Symbolisme se résume très simplement dans l'intention commune à plusieurs familles de poètes de reprendre à la musique leur bien...*»[17]

Pour rendre moins imprécise et moins incomplète cette tentative d'explication de l'importance actuelle de Baudelaire, je devrais maintenant rappeler ce qu'il fut comme critique de la peinture. Il a connu Delacroix et Manet. Il a essayé de peser les mérites respectifs d'Ingres et de son rival,[18] comme il a pu comparer dans leurs «réalismes» bien dissemblables les œuvres de Courbet avec celles de Manet. Il eut pour le grand Daumier une admiration que la postérité partage. Peut-être a-t-il exagéré la valeur de Constantin Guys... Mais, dans l'ensemble, ses jugements, toujours motivés et accompagnés des considérations les plus fines et les plus solides sur la peinture, demeurent des modèles du genre terriblement facile, et donc terriblement difficile, de la critique d'art.

Mais la plus grande gloire de Baudelaire, comme je vous l'ai fait pressentir dès le début de cette conférence, est sans doute d'avoir engendré quelques très grands poètes. Ni Verlaine, ni Mallarmé, ni Rimbaud n'eussent été ce qu'ils furent sans la lecture qu'ils firent des *Fleurs du Mal* à l'âge décisif. Il serait aisé de montrer, dans ce recueil, des poèmes dont la forme et l'inspiration préfigurent telles pièces de Verlaine, de Mallarmé ou de Rimbaud. Mais ces correspondances sont si claires, et le temps de votre attention si près d'expirer, que je n'entrerai point dans le détail. Je me bornerai à vous indiquer que le sens de l'intime, et le mélange puissant et trouble de l'émotion mystique et de l'ardeur sensuelle qui se développent dans Verlaine; la frénésie du départ, le mouvement d'impatience excité par l'univers, la profonde conscience des sensations et de leurs résonances harmoniques, qui rendent si énergique et si active l'œuvre brève et violente de Rimbaud, sont nettement présents et reconnaissables dans Baudelaire.

Quant à Stéphane Mallarmé, dont les premiers vers pourraient se confondre aux plus beaux et aux plus denses des *Fleurs du Mal*, il a poursuivi dans leurs conséquences les plus subtiles les recherches formelles et techniques dont les analyses d'Edgar Poe et les essais et les commentaires de Baudelaire lui avaient communiqué la passion et enseigné l'importance. Tandis que Verlaine et Rimbaud ont continué Baudelaire dans l'ordre du sentiment et de la sensation, Mallarmé l'a prolongé dans le domaine de la perfection et de la pureté poétique.

NOTES

1. Charles-Pierre Baudelaire est né à Paris en 1821. Il fait ses études à Lyon et à Paris et ensuite fréquente, pendant un certain temps, les milieux littéraires du Quartier Latin. En 1843, il fait la connaissance de Théophile Gautier, à qui il dédiera *les Fleurs du mal*. Après avoir fait publier quelques sonnets, Baudelaire s'engage dans la critique d'art et se révèle excellent esthéticien. Il publie le *Salon* de 1845, le *Salon* de 1846, brochure où il fait l'éloge du peintre Delacroix, l'*Exposition universelle* de 1855, et le *Salon* de 1859. En 1846–47 il découvre l'œuvre d'Edgar Poe et commence à la traduire dès 1848. Les contes de Poe, traduits par Baudelaire, seront recueillis dans les *Histoires extraordinaires* (1856) et *Nouvelles Histoires extraordinaires* (1857). D'autres textes de Poe ainsi traduits paraîtront dans des éditions séparées.

    En 1857, paraissent *les Fleurs du mal* dont plusieurs poèmes avaient été écrits antérieurement et publiés dans diverses revues. Baudelaire est traduit en correctionnelle pour immoralité; six poèmes sont supprimés du recueil et l'auteur et les éditeurs obligés à payer des amendes. Les poèmes supprimés, aussi bien que 35 pièces nouvelles, seront ajoutés à la deuxième édition, publiée en 1861.

C'est en 1859 que paraît la *Genèse d'un poème*, traduite de la *Philosophy of Composition* d'Edgar Poe. Il s'agit de l'élaboration d'une théorie de poésie pure qui sera d'une importance capitale pour Baudelaire, pour Mallarmé, ainsi que pour Valéry lui-même. Baudelaire fit la connaissance de la musique de Richard Wagner en 1860, à un concert où furent joués quelques extraits de *Tannhäuser* et de *Lohengrin*. Ce fut pour lui une révélation. Le poète écrivit une lettre très élogieuse au compositeur et devint un habitué de ses soirées musicales. Un an plus tard paraîtra la grande étude de Baudelaire sur *Richard Wagner et Tannhäuser à Paris*. En 1860, *les Paradis artificiels* paraissent en volume. Baudelaire y étudie l'effet de l'usage du haschisch et, dans la second partie, commente une série d'extraits du *Mangeur d'opium* de Thomas de Quincy.

En 1863, il publie *le Peintre de la vie moderne* où il révèle le génie de Constantin Guys et expose ses idées sur l'art moderne. L'année suivante, las de l'incompréhension du public français et poursuivi par ses créanciers, Baudelaire quitte Paris pour Bruxelles où il donne des conférences sur Delacroix, Gautier, et sa propre poésie; il rentre en France en 1865.

Au mois de mars, 1866, Baudelaire tombe dans l'église de Namur à la suite d'une apoplexie, qui entraînera l'aphasie et l'hémiplégie. Après une longue agonie, il meurt le 31 août 1867.

2. **notre accentuation particulière**   L'accent du français est un accent de durée et consiste dans un allongement de la dernière voyelle sonore de la mesure rythmique; **prosodie** ensemble des règles relatives à la quantité des voyelles, c'est-à-dire la durée qu'on emploie à prononcer une voyelle.

3. **Parnasse**   l'école poétique qui se définit en 1866 lors de la publication d'un recueil de poèmes intitulé *le Parnasse contemporain*. Les principaux poètes de l'école sont Leconte de Lisle, Théodore de Banville, Sully Prudhomme, François Coppée, et José-María Heredia. Leur doctrine définit une poésie qui dans son pittoresque historique, archéologique, ou exotique emprunte l'exactitude et l'objectivité de la science. Ils croient à la perfection de la forme et à l'esthétique de l'art pour l'art.

4. **raison d'Etat**   considération de l'intérêt public justifiant une action injuste.

5. *charme*   sens latin, enchantement.

6. *la Légende des siècles*   recueil de poèmes épiques par Victor Hugo, publié en 1859.

7. *la Corde d'airain* huitième livre de *Toute la lyre* (1888, 1893), recueil de poèmes inédits du vivant d'Hugo; *Dieu* (1891), *la Fin de Satan* (1886) poèmes épiques inachevés.

8. **la pièce sur la mort de Gautier** «A Théophile Gautier», poème publié d'abord en 1873 en tête du *Tombeau de Théophile Gautier*, recueil d'hommages funèbres des amis du poète.

9. **Je te donne.... lointaines** *les Fleurs du mal*, extrait d'un poème sans titre, XXXIX dans l'édition de 1861.

10. **les trois unités** les règles qui gouvernent la tragédie classique française: l'unité d'action, l'intérêt doit être centré sur une seule intrigue; l'unité de temps, l'action doit se dérouler en un seul jour; l'unité de lieu, elle doit avoir un seul lieu pour théâtre.

11. **Tel... change** «le Tombeau d'Edgar Poe» (1877).

12. *les Aventures de Gordon Pym* *The Narrative of Arthur Gordon Pym* (1838), *The Murders in the Rue Morgue* (1841), *Ligeia* (1838), *The Tell-Tale Heart* (1843).

13. **«Théophile Gautier»** paru d'abord en 1861, puis dans *l'Art romantique en 1869.*

14. **Luxe, forme et volupté** cf. *les Fleurs du mal*, le refrain de «l'Invitation au voyage»: «Là, tout n'est qu'ordre et beauté,/ Luxe, calme et volupté.»

15. *Poèmes antiques, Poèmes barbares* deux recueils de poèmes de Leconte de Lisle, parus en 1852 et 1862 respectivement.

16. *Tannhäuser* v. la note biographique sur Baudelaire.

17. **«Ce qui... bien»** Valéry, Avant-propos à *la Connaissance de la déesse* de Lucien Fabre (Société littéraire de France, 1920).

18. **son rival** Delacroix.

Char | En 1871

Arthur Rimbaud[1] jaillit en 1871 d'un monde en agonie, qui ignore son agonie et se mystifie, car il s'obstine à parer son crépuscule des teintes de l'aube de l'âge d'or. Le progrès matériel déjà agit comme brouillard et comme auxiliaire du monstrueux bélier qui va, quarante ans plus tard, entreprendre la destruction des tours orgueilleuses de la civilisation de l'Occident.

Le romantisme s'est assoupi et rêve à haute voix: Baudelaire, l'entier Baudelaire, vient de mourir après avoir gémi, lui, de vraie douleur; Nerval s'est tué; le nom de Hölderlin est ignoré; Nietzsche s'apprête, mais il devra revenir chaque jour un peu plus déchiqueté de ses sublimes ascensions[2] (Hugo, le ramoneur sénestre, ivre de génie autant que de fumée, sera demain massivement froid comme une planète de suie)[3]; soudain, les cris de la terre, la couleur du ciel, la ligne des pas, sont modifiés, cependant que les nations paradoxalement ballonnent, et que les océans sont sillonnés par les hommes-requins que Sade a prédits et que Lautréamont est en train de décrire.[4]

L'enfant de Charleville se dirige à pied vers Paris. Mieux que la Commune,[5] et avec d'analogues représailles, il troue de part en part comme une balle l'horizon de la poésie et de la sensibilité. Il voit, relate et disparaît, après quatre ans d'existence, au bras d'une Pythie qui n'est autre que le Minotaure.[6] Mais il ne fera que varier de lieu mental en abdiquant l'usage de la parole, en échangeant la tornade de son génie contre le trimard du dieu déchu.

Il n'a rien manqué à Rimbaud, probablement rien. Jusqu'à la dernière goutte de sang hurlé, et jusqu'au sel de la splendeur.

NOTES

1. Né à Charleville en Ardennes, en 1854, Jean-Nicolas-Arthur Rimbaud commence à écrire dès l'âge de six ans; il révèle déjà la précocité et l'esprit d'indépendance qui marqueront sa brève mais brillante carrière poétique. En 1870, *la Revue pour tous* publie les premiers vers français de Rimbaud qui avait déjà écrit et fait publier des vers latins. Il fait la connaissance d'un jeune professeur de rhétorique, Georges Izambard, qui devient son confident et lui fait lire Rabelais, Hugo, Banville, etc. Rimbaud écrit à Banville, un des poètes de l'école parnassienne, et lui envoie plusieurs poèmes dans le vain espoir qu'ils paraîtront dans le second *Parnasse contemporain*. C'est l'année de la première fugue de Rimbaud, qui, arrivant à Paris sans billet est incarcéré pendant quelques jours. A Douai, Rimbaud recopie les 22 poèmes qu'il avait écrits et donne le recueil à un jeune poète, ami d'Izambard, Paul Demeny.

   Il n'est pas certain que Rimbaud ait participé à l'insurrection de la Commune en mars-juillet 1871 mais sa participation morale est hors de doute. Un poème tel que «Chant de guerre parisien», écrit pendant la révolte de la Commune, fait entrevoir un Rimbaud passionné par la révolte des ouvriers et acharné contre les dirigeants du gouvernement.

   Dans deux lettres datées du 13 et du 15 mai 1871, adressées à Izambard et à Demeny respectivement, Rimbaud expose ses théories esthétiques. Il commence par une condamnation de la poésie écrite jusqu'alors et ensuite propose aux poètes une nouvelle ascèse: le poète doit se faire «voyant» par un «long, immense et raisonné dérèglement de tous les sens». Par cet entraînement de ses facultés mentales le poète accédera à une nouvelle vision du monde, à l'inconnu, et en même temps trouvera de nouvelles manières d'exprimer ses visions. C'est également en 1871 que Rimbaud part pour Paris, emportant «le Bateau ivre», poème qu'il venait d'écrire, et convié par Verlaine à qui il avait envoyé des poèmes. Rimbaud rentre chez lui, puis regagne Paris d'où lui et Verlaine partent pour l'Angleterre; ils y vivent ensemble dans la misère.

Après des mois de vagabondage, et de disputes célèbres, les deux poètes échouent à Bruxelles, où à la suite d'une querelle Verlaine tire un coup de revolver sur Rimbaud et le blesse légèrement. Verlaine est condamné à deux ans de prison; Rimbaud, rentré en France, termine *Une saison en enfer*, recueil de poèmes en prose marqué par la violence du ton et par la hardiesse des images. L'année suivante, Rimbaud complète son dernier recueil de poésies, *les Illuminations*, poèmes en prose imprégnés de visions hallucinantes et d'évocations étranges.

A partir de 1875, sa carrière poétique terminée, Rimbaud devient «l'homme aux semelles de vent», dont parle Verlaine. Expulsé de Vienne, il gagne la Hollande où il s'engage dans l'armée coloniale et s'embarque pour Batavia; trois semaines plus tard, il déserte et regagne Charleville. Il reprend la route et en 1880 on le trouve à Aden où il travaille dans une maison de commerce, puis à Harrar dans le désert de Somali. Là, Rimbaud «s'embête», même quand il fait des explorations dans les régions inconnues autour de la ville. En 1885, il part vers le Choa pour vendre des fusils à Ménélik, futur empereur de l'Ethiopie. Rimbaud, cependant, ignore la publication en France d'un grand nombre de ses poèmes.

Atteint par une tumeur cancéreuse au genou, Rimbaud se fait rapatrier en 1891; dans un hôpital de Marseille sa jambe est amputée. Son état continue à empirer; il meurt à Marseille le 10 novembre 1891, à l'âge de 39 ans.

2. **déchiqueté... ascensions** allusion à la défaillance physique et mentale de Nietzsche.

3. **Hugo... suie** En 1952, Char frappait en paroles une sorte de portrait-médaille du poète. L'image «ramoneur sénestre» en est quelque peu éclairée. Le mot «sénestre» semble signifier «gauche» dans le sens de «maladroit». «Ramoneur», c'est-à-dire peut-être,

qui s'attaque à cette cheminée bouchée qu'était la poésie, faisant dégringoler «des débris et des morceaux» mais ménageant aussi un passage vers le ciel, préparant d'autres flambées.

4. **Lautréamont est en train d'écrire**   Le héros, Maldoror, des *Chants de Maldoror* (1869) est l'incarnation de l'esprit du mal. Dans une des scènes célèbres du poème, il fait l'amour avec un requin femelle.

5. **la Commune**   l'insurrection populaire de Paris du 18 mars 1871. Les communards se rebellaient contre le gouvernement conservateur d'Adolphe Thiers mais leur révolte fut réprimée en mai 1871 par les troupes du gouvernement.

6. **Pythie**   prêtresse de l'oracle d'Apollon à Delphes; **le Minotaure** monstre moitié homme et moitié taureau. Athènes lui donnait un tribut annuel d'adolescents qu'il dévorait.

Butor | Recherches sur la technique du roman

Le monde, dans sa majeure partie, ne nous apparaît que par l'intermédiaire de ce qu'on nous en dit: conversations, leçons, journaux, livres, etc. Très vite, ce que nous voyons de nos yeux, ce que nous entendons de nos oreilles, ne prend son sens qu'à l'intérieur de ce concert.

L'unité élémentaire de ce récit dans lequel nous baignons constamment, nous pouvons l'appeler une «information», ou, comme on dit, une «nouvelle». «Savez-vous la nouvelle?» nous crie-t-on, «jusqu'à présent on disait ceci ou cela, désormais il faudra dire autrement.» Celui qui voit un fait inattendu devient porteur d'une «nouvelle» qu'il doit diffuser alentour. Le récit public, le savoir du monde doit se déformer.

Dans certains cas, la «nouvelle» va trouver sa place sans la moindre difficulté à l'intérieur de ce qu'on disait auparavant;

59

elle n'implique qu'une correction de détail, laissant le reste intact. Mais lorsque le nombre et l'importance de ces «nouvelles» vont augmenter, nous ne saurons plus où les mettre, qu'en faire. Dès lors, ce que nous devrions savoir, il nous est impossible d'en tenir compte. Nos yeux auront beau voir, nos oreilles entendre, cela ne nous servira plus de rien. Nous serons misérables au milieu de notre richesse, qui s'enfuira dès que nous la voudrons saisir, nouveaux Tantales[1] jusqu'au jour où nous aurons trouvé le moyen de mettre de l'ordre à l'intérieur de toutes ces informations, de les organiser de façon stable.

Le récit nous donne le monde, mais il nous donne fatalement[2] un monde faux. Si nous voulons expliquer à Pierre qui est Paul, nous lui racontons son histoire: nous choisissons parmi nos souvenirs, notre savoir, un certain nombre de matériaux que nous arrangeons pour constituer une «figure[3]», et nous savons bien que nous échouons la plupart du temps, dans une mesure plus ou moins large, que le portrait que nous avons fait est à certains égards inexact, qu'il y a toutes sortes d'aspects de cette personnalité que nous connaissions bien et qui ne «collent» pas avec l'image que nous avons donnée.

Pas seulement lorsque nous parlons à autrui; le décalage est aussi grave quand nous nous parlons à nous-mêmes. Tout d'un coup, nous apprenons une surprenante «nouvelle» concernant Paul: «Mais comment cela est-il possible?» Et puis le souvenir revient; non, il ne nous avait pas caché cette intention ou cette partie de sa vie, il nous en avait parlé même longuement, mais nous avions oublié tout cela, nous l'avions exclu de notre «résumé», nous ignorions comment le raccrocher au reste.

Que de fantômes ainsi entre nous et le monde, entre nous et les autres, entre nous-mêmes et nous!

Or ces fantômes, il nous est possible de les nommer, de les poursuivre. Nous savons bien que dans ce qu'on nous raconte, il y a des choses qui ne sont pas vraies, non seulement des erreurs mais des fictions, nous savons bien que le même mot français «histoire» désigne à la fois le mensonge et la vérité, la conscience même que nous avons du monde en mouvement, l'«Histoire universelle», notre vigilance, et les contes que nous faisons pour endormir les enfants et cet enfant qui en nous tarde toujours à s'endormir; nous savons bien que le Père Goriot n'a pas existé de la même façon que Napoléon Bonaparte.

Nous sommes à chaque instant obligés de faire intervenir dans les récits une distinction entre le réel et l'imaginaire, frontière très poreuse, très instable, frontière qui recule constamment, car ce qu'hier nous prenions pour le réel, la «science» de nos grands-parents, ce qui semblait l'évidence même, nous le reconnaissons aujourd'hui comme imagination.

Impossible de céder à l'illusion que cette frontière serait définitivement arrêtée. Chassez l'imaginaire, il revient au galop. Le seul moyen de dire la vérité, d'aller à la recherche de la vérité, c'est de confronter inlassablement, méthodiquement, ce que nous racontons d'habitude avec ce que nous voyons, entendons, avec les informations que nous recevons, c'est donc de «travailler» sur le récit.

Le roman, fiction mimant la vérité, est le lieu par excellence d'un tel travail; mais dès que celui-ci se fera suffisamment sentir, donc dès que le roman réussira à s'imposer comme langage nouveau, imposer un langage nouveau, une grammaire nouvelle, une nouvelle façon de lier entre elles des informations choisies comme exemples, pour enfin nous montrer comment sauver celles qui nous concernent, il proclamera sa différence d'avec ce qu'on dit tous les jours, et apparaîtra comme poésie.

Il y a certes un roman naïf et une consommation naïve du roman, comme délassement ou divertissement, ce qui permet de passer une heure ou deux, de «tuer le temps», et toutes les grandes œuvres, les plus savantes, les plus ambitieuses, les plus austères, sont nécessairement en communication avec le contenu de cette énorme rêverie, de cette mythologie diffuse, de cet innombrable commerce, mais elles jouent aussi un rôle tout autre et absolument décisif: elles transforment la façon dont nous voyons et racontons le monde, et par conséquent transforment le monde.

Un tel «engagement» ne vaut-il pas tous les efforts?

NOTES

1. **Tantales** Après avoir offensé les dieux, Tantale fut précipité par Jupiter dans le Tartare et condamné à être sans cesse en proie à une faim et à une soif impossibles à satisfaire. On le représente au milieu d'un fleuve dont l'eau fuit sitôt qu'il veut en boire et sous des branches qui se soulèvent hors de sa portée quand il veut en manger les fruits.

2. **fatalement** inévitablement.

3. **figure** portrait. Le term s'emploie d'habitude pour désigner une représentation artistique. Butor souligne ici l'inévitable déformation du réel quand on essaie de le reproduire.

II Voyages

*Il faut apprendre à regarder loin de
soi pour découvrir beaucoup de choses ...
celui qui cherche la connaissance avec des
yeux d'intrus, comment verrait-il autre
chose que les premiers plans?*
NIETZSCHE

Voyager dans l'espace, dans le temps, voyager en fait, en imagination. Sur la planète entière l'homme s'est toujours reconnu nomade, et le voyage sera la métaphore commune et jamais épuisée grâce à laquelle il traduira tous les aspects de l'aventure humaine. Voyages mythiques, voyages réels, voyages imaginaires: vagabondages, périples, pérégrinations; explorations, quêtes, recherches: le thème du voyage nourrit un inépuisable flot de littérature riche en légendes, allégories et mythes. C'est à ce flot que se rattachent les essais de Blaise Cendrars, Henry de Montherlant, et Albert Camus.

Blaise Cendrars se fera «l'Homère» d'une génération de voyageurs pour qui le nomadisme, avant le développement du grand tourisme, sera un but en soi, une façon de vivre librement en dehors des contraintes de la société. Le monde est, en vérité, leur aventure. Avec eux, les bornes étroites qui cernent l'Européen s'écartent, Paris devenant un simple relais situé entre la forêt brésilienne et quelque lointain terminus du Transsibérien. Relais aussi de la mémoire du narrateur. «Je connais», écrivait Cendrars avant l'époque de l'auto, «tous les trains et leurs correspondances». Et ceci est vrai aussi de ces correspondances intérieures qui appellent, combinent, réorganisent les images. Cinéaste curieux de découpages inattendus, Cendrars est le contemporain averti des dislocations que les artistes nouveaux, ses amis, font subir à nos représentations habituelles et, poète, il en a lui-même usé. Romancier, il se complaît aux récits de ces voyages où le souvenir, la méditation et le rêve se combinent en un film toujours en voie de se dérouler. L'essai lui fournira un instrument privilégié, se développant par une libre association d'images autour d'un thème central à mi-chemin entre le poème et la méditation.

C'est en 1943, sous l'Occupation, dans le midi de la France où par la force des choses Cendrars vivait en sédentaire depuis trois ans et, par choix, dans le silence, qu'un jour il retrouva les pistes ouvertes du souvenir qui alimentent *l'Homme foudroyé*. Ce livre est placé sous le signe du voyage, ou mieux encore comme l'indique un sous-titre «Rhapsodies gitanes» sous le signe de la liberté nomade dont la grand-route, l'auto, les roues, les rencontres, les paysages et les amours fugitifs sont les ingrédients.

C'est la Nationale 10, qu'il avait parcourue la dernière fois en 1939–40 dans son Alfa Roméo, lors de la défaite de la France, dont le souvenir le lance vers les «chemins brûlés», pistes qui vont se perdre au cœur de la pampa au Paraguay. La même auto, la même route l'avaient, dans les années précédentes, souvent conduit de la Tremblay-sur-Mauldre, dans la banlieue de Paris, vers l'Amérique du Sud. «La banlieue de Paris, la zone, — et la forêt brésilienne, ce sont,» écrit Louis Parrot, «les deux décors les plus distants, ceux qui réclament les couleurs les plus opposées, que Cendrars peint avec le plus d'amour comme les toiles de fond sur lesquelles se jouent toutes les aventures.[1]» Le Paraguay, plutôt que le Brésil, peu importe, c'est ce trajet, aller et retour, que parcourt le souvenir. Deux civilisations; deux villes, Paris-Asuncion; deux amours, Raymone, Daïdamia; deux amis, Robert Lévesque,

---

[1]Louis Parrot, *Blaise Cendrars* (Paris: Seghers, 1948), p. 22.

qui parlera si bien de son ami, et Manolo Secca. Il s'agit bien dans cet essai de l'ivresse de l'homme qui tient le volant d'une puissante voiture, mais il s'agit aussi d'une vie d'homme, ce «chemin brûlé» auquel seule l'auto a donné son allure spéciale, amenant l'homme Cendrars aux confins de ses propres possibilités. C'est sa propre légende que Cendrars recrée dans cet essai, comme dans tout ce qu'il écrit, mais aussi l'aventure d'une époque au seuil du monde contemporain.

C'est sa propre légende aussi que dans «le Dernier Retour» Montherlant examine d'un regard excédé, légende du «voyageur traqué», qui lui avait inspiré trois volumes entre 1925 et 1929, fournissant à une génération que la guerre venait de déraciner un thème privilégié. Ecrit en 1929, «le Dernier Retour» est une amère méditation sur le thème de la futilité du voyage, sur le «on ne part pas» de Rimbaud. Dix ans plus tard, dans une préface à *Un Voyageur solitaire est un diable*, volume dont cet essai fait partie, Montherlant jettera sur les trois volumes des *Voyageurs traqués* un regard détaché. Il y voit l'expression d'une crise, «la crise particulière à l'homme de trente ans». C'est le voyageur donc qui est important et non le voyage, le voyageur à la recherche de sa propre image. Pour limité qu'il fût dans la réalité, le voyage fut réel. Rompant avec la vie parisienne, Montherlant avait quitté Paris en 1925, pour n'y rentrer que vers 1932, vivant en déraciné en Espagne, Afrique du nord, ou Italie. Il était parti, dit-il, pour «réaliser la féerie» et, en fait de féerie vécut pendant trois ans «les années les plus malheureuses de sa vie». Bien que le retour réel n'eût lieu que bien plus tard, la crise semble-t-il commença à se dénouer plus tôt, vers 1928. Le voyage que se proposait de faire le jeune Montherlant, c'était le voyage au bout de ses désirs. Tout éprouver, jusqu'à la limite; mais comme les désirs se contredisent et s'annulent, procéder par un rythme d'alternance passant d'une satiété à la poursuite d'une nouvelle soif. «Syncrétisme et alternance» définissaient ainsi une tentative d'atteindre les limites d'un moi qui lui échappait. «le Dernier Retour» fait le bilan de cette tentative. Essai quasi classique, la méditation se développe en une sorte de dialogue, où la réponse obstinément met fin à l'interrogation, cet espoir, tandis que Montherlant affronte son propre néant. C'est «l'absurde» de la condition humaine que Montherlant dénonce en une sorte d'ascèse de la pensée menée sans ménagement par ce «diable» de lucidité qu'est la pensée du «voyageur solitaire» non-engagé. «Nous sommes cernés par les eaux», écrivait Albert Camus et l'eau dans son œuvre est souvent synonyme de vie. «La Mer au plus près», le dernier des essais du recueil *l'Eté*, est l'essai lyrique de communiquer à travers la métaphore du départ et du voyage, ce bonheur devant la beauté du monde sensible qui frémit au fond de toute l'œuvre de Camus. C'est vers la fin de 1949 qu'émergeant des années sombres de l'Occupation, Camus songe de plus en plus à retrouver ce bonheur. «Il s'agit», écrit Jean Grenier[2], «du bonheur le plus simple et de la beauté la plus nue, du bonheur qui ne se fait pas attendre, et de la beauté qui est tout de suite accessible», à condition de retrouver, «ce qui est autour de nous, devant nous, à la portée de notre main», c'est-à-dire le monde sensible et sa «réalité charnelle». L'essai est l'expression d'une renaissance à cette réalité, au terme d'un long exil où «tremble un désir violent». Le prélude à l'essai rappelle cette attente et ce désir.

Dans les carnets de Camus à partir de 1949 paraissent des notations dont s'inspire l'essai. «Lumière radieuse. Il me semble que j'émerge d'un sommeil de dix ans... à nouveau nu et tendu vers le soleil... Je renais comme corps aussi... Eaux irrésistibles et jaillissements de la joie... J'ai vécu sans mesure de la beauté: pain éternel;» et cette citation de Proudhon: «La liberté est un don de la mer». Trois voyages réels, aux Etats-Unis (1946), en Algérie (1948), en Amérique du Sud (1949), ont fourni à l'essai un certain fonds d'images, mais non son mouvement d'ensemble qui reste mystérieux. C'est une goélette qui prend le départ, dans un monde d'avions et de paquebots. Le périple qu'elle suit,

---

[2] Jean Grenier, Préface, *Albert Camus: Œuvres complètes*, I (Paris: Gallimard, 1962), pp. x–xv.

jalonné de points de repère précis est sûrement significatif mais reste mystérieux. Le voyage s'inscrit entre deux attentes qui ne se ressemblent pas et le point d'arrivée n'est pas le même que le point de départ. Entre l'aube du départ et l'immobile minuit de la fin passent d'autres aurores, des pleins midis, des crépuscules et d'autres nuits. «Ce que j'ai tant cherché apparaît enfin», notait Camus dans ses carnets en janvier 1951, «mourir devient un consentement.» L'essai apparaît alors comme la puissante prise de possession des «pleines eaux» d'une expérience intime. «La mer: je ne m'y perdais pas, je m'y retrouvais», écrit Camus. Il ne s'agit point d'un «bateau ivre» mais d'un royaume, d'un itinéraire, d'un jaillissement de bonheur qui rappelle certaines grandes pages lyriques du *Zarathustra* de Nietzsche.

Les trois essais par la forme et le style marquent certaines limites du genre, aux confins de l'anecdote avec Cendrars, du bavardage pseudo-philosophique avec Montherlant, de la parabole lyrique avec Camus. Et c'est le choix et le contrôle du langage, l'intime structure du développement si différents dans chaque cas qui donnent à l'essai son unité, sa consistance et son individualité littéraire.

Cendrars | Le Chemin brûlé

Au Tremblay-sur-Mauldre (Seine-et-Oise) la N 10[1] passe devant ma porte. Un jour, je n'y tins plus, je mis en marche[2] et me voici parti dans le ronflement de mon moteur.

Qui connaît la N 10 d'un bout à l'autre, du parvis Notre-Dame à son terminus, de l'autre côté de l'Atlantique, au delà de l'Yguassù et jusqu'au rio Parana[3], en plein cœur des solitudes sud-américaines, sur la frontière, la frontière du Paraguay, où elle donne dans des marais que ma voiture ne sut franchir et où je passai la nuit en proie aux maringouins et au désespoir le plus noir, écoutant toute la nuit un oiseau se moquer de moi : « — *Ou-â, ou-â, hahaha! ꝁete-ꝁeto-ꝁeteu...*»? Ce n'était pas le Serpent à plumes[4] perché sur un nopal, mais un échassier nocturne qui pêchait dans le marais. Au matin, je pleurais à chaudes larmes. Les maringouins m'avaient dévoré les yeux. A travers les larmes brûlantes (saleté de maringouins!) j'entrevis, vibrant d'amour, la pampa[5] qui m'était interdite, là-bas, sur l'autre rive du bourbier qui datait des premiers âges, au fond de la plaine, un océan d'herbes et quelques étoiles de palmiers à

70

l'horizon... Alors, je fis demi-tour, roulant toute la matinée dans
le bourbier avant de rejoindre le terminus de la route que j'avais
quitté la veille pour pousser le plus loin possible, accompagné sur
des kilomètres et des kilomètres par des hordes de cochons sauvages curieux du bruit de mon moteur qui les attirait hors des
marais, des centaines et des centaines de bêtes peu farouches qui
m'accompagnèrent une partie de la matinée sur le chemin du
retour, stupides, grognantes, sentant fort, prêtes à fuir si prises
de panique subite ou à se ruer, ivres de fureur, sur moi pour
m'assaillir.

C'était folie que de vouloir rejoindre Asuncion-de-Paraguay
par la route. Primo, je savais que la route n'y aboutissait pas;
secundo, j'aurais pu prendre l'avion. Oui, mais je n'aurais pu
passer inaperçu et je devais arriver en ville à l'insu de tous.
J'avais compté sur le hasard, sur un concours de circonstances
favorables pour pouvoir passer par la voie de terre, arriver in-
cognito et me présenter, voire sous le déguisement d'un gaucho
après avoir abandonné la voiture dans un rancho de la pampa,
à mon amour. Amour, quand tu nous tiens[6]!... Il y avait plus
de sept ans que je ne l'avais vue et nous nous étions juré de ne
jamais nous écrire... Daïdamia.

Et me voici reparti dans le ronflement de mon moteur, mais
sur le chemin du retour...

... Je suis surpris qu'aucun romancier d'aujourd'hui n'ait encore
consacré une œuvre à l'auto, à la route moderne, aux auberges
du bord de route, à la galanterie comme Casanova l'a fait dans
ses «*Mémoires*» pour la route, les chaises-postes, les hôtelleries à
propos de l'honnête société de la fin du xviiie siècle en voyage
ou comme George Borrow dans «*The Bible in Spain*» au sujet
des aventures de route et des rencontres qu'on y pouvait faire,
en Espagne, au début du xixe siècle (un peu dans le genre de
«*L'Itinéraire Espagnol*» de t'Serstevens, sauf que Borrow ne
s'était pas rendu en Espagne pour écrire un livre, cela ne lui
serait jamais venu à l'esprit, mais pour répandre le livre des livres,
La Bible, en Espagne, et plus particulièrement la distribuer, idée

saugrenue, aux Gitanes*!). Je suis surpris qu'aucun poète d'aujourd'hui n'ait encore chanté l'automobile comme j'ai chanté le chemin de fer dans le «*Transsibérien*⁷» à la veille de l'autre guerre (heureusement que des aviateurs, pris par leur métier dangereux et nouveau, se mettent à écrire et que l'avion entre tout naturellement — et non comme un thème — dans la littérature et la poésie; mais je crains fort que l'auto saute à l'as car ce n'est pas, n'est-ce pas, le «*Guide Michelin*⁸» qui fera comprendre à nos petits neveux la découverte que furent pour nous la route et l'automobile et l'entraînement qui s'en suivit dans notre ligne de conduite et dans nos mœurs clandestines!) Je suis surpris que parmi ces messieurs les peintres d'aujourd'hui pas un comme Constantin Guys de son temps, qui nous a laissé des documents uniques sur l'élégance des femmes et des équipages au Bois⁹ (il était aussi correspondant-illustrateur de guerre en Crimée et de révolution en Espagne, — c'était un Monsieur, je lui tire mon chapeau), pas un de ces messieurs les peintres d'aujourd'hui, pourtant bien rentés, n'ait daigné croquer les élégantes de notre époque (sans parler de guerre ni de révolution) et leurs somptueuses voitures assorties comme un écrin pour un bijou (je fais exception des afficheurs dont les œuvres sont dans la rue, mais que l'on collectionnera plus tard dans les musées car c'est dans l'éphémère d'une époque que la postérité trouve la tradition de l'art vivant!). Je ne dirai rien des musiciens d'aujourd'hui. (Il suffit de tourner le bouton de la radio pour se rendre compte combien les nôtres sont endormis dans un genre désuet quand, un cran plus loin, — que dis-je un cran, l'épaisseur d'un cheveu suffit, — le même bouton fait se déverser sur vous les sonorités réjouissantes et les rythmes à la fois exaltants et consternants des jazz américains qui vous arrachent à votre

---

*Maître-livre que j'ai traduit trois fois, en 1910 pour Pierre-Paul Plan (chez *Payot*) ; en 1914 pour Apollinaire (au *Mercure de France* ou à *l'Edition des Curieux*) ; en 1919 pour la *N. R. F*... Aucune de ces trois traductions n'a jamais paru. De la guigne, quoi !... car chaque fois j'avais besoin d'argent.

fauteuil. Enfin de la musique propre, inédite et anonyme*!) Que
font tous ces artistes, mes contemporains? Ma parole, on dirait
qu'ils n'ont jamais vécu! Et pourtant, il n'y a qu'une seule chose
de sublime au monde pour un créateur: l'homme et son habitat.
Dieu nous en a donné l'exemple qui s'est mêlé à nous; eux, n'ont
jamais dû prendre un taxi. Pourquoi vivez-vous, dites? Et foin
du cubisme, du futurisme[10] et de l'art social! Si les grandes
putains (ni les petites madames) et le décor contemporain n'ont
pas su inspirer les artistes d'aujourd'hui, comment voulez-vous
que, soudainement, à cause du changement d'un régime et parce
que les officiels mettent la chose au concours, comment voulez-
vous que ce peintre, ce poète, ce romancier† sache camper un
ouvrier devant sa machine, une cité future autour de l'usine ou
les grands routiers, ces gars splendides qui assurent le ravitaillement de Paris et qui, on peut le dire, sont les représentants les
plus qualifiés, en France, d'une humanité nouvelle! La N 10 je

---

*J'ai fait commander par Abel Gance la musique de la «*Roue*» à Arthur
Honegger. Ce fut un joli malentendu! Gance voulait une symphonie (pas
moins) pour accompagner son film. Honegger composa ce morceau de
bravoure qu'on donne depuis dans les salles de concert sous le titre de
«*Pacific 231*». Et ce fut sans lendemain. Je raconterai un jour comment j'ai
découvert «*Les Six*». C'est une rigolade... — D'ailleurs, les musiciens
d'aujourd'hui me dégoûtent qui acceptent que les gens de la radio débitent
leurs œuvres menu-menu pour en faire de la musique d'atmosphère. Leur
maître, Erik Satie, lui, avait au moins composé de la «*Musique d'Ameuble-
ment*», de la musique qui pouvait s'écouter sans se prendre la tête entre les
mains. C'était plus honnête. Mais on n'en parle pas...

†Pour ne parler que de ceux dont on parle aujourd'hui (mi-octobre 1944):
ce peintre, par exemple, Picasso, qui depuis 40 ans et quoique guidé,
conseillé, entouré durant des lustres par ses amis les poètes Max Jacob et
Guillaume Apollinaire, n'arrive pas à se dépêtrer de l'esthétisme suranné et
sans issue de Mallarmé; ce poète, par exemple, Cocteau, le plus germanisé
des Parisiens (Cf. Jean Epstein: *La Poésie d'Aujourd'hui — Un nouvel état
d'intelligence*, lettre-préface de Blaise Cendrars. Éditions de la Sirène,
1921), qui hésite entre l'esthétique de Nietzsche et la poétique de cette
vieille barbe de Laharpe (oui, ce fesse-mathieu mort en 1803); ce romancier,
par exemple, Duhamel, qui pour complaire à ses concitoyens et les préserver
de la contagion moderne voulut noyer du même jet l'incendie de Moscou et
les feux-tournants de New York, ce qui devait mener ce pompier de secours
directement à l'Académie. De qui se moque-t-on et que peut-on d'eux
espérer d'autre ou de nouveau, aujourd'hui?

la connais de bout en bout et sur tout son parcours j'y ai mes habitudes. Jusqu'à Biarritz j'en connais chaque cahot et je puis y rouler les yeux fermés. En Espagne et au Portugal j'y ai eu des histoires. Au Brésil, des aventures. Et, au bout de son dernier, de son ultime tronçon sud-américain, là où elle n'est encore que jalonnée, en projet, j'ai subi toute une nuit le rire énorme de cet échassier de nuit qui se moquait de mon chagrin et que rien ne pouvait faire taire, ni la projection de mes phares, ni mes coups de klaxon, ni mes coups de fusil, Daïdamia: « — *Ou-â, ou-â, hahaha! ḳete-ḳeto-ḳeteu...*»

«*Déchirez en suivant le pointillé.*» Cette rupture avec Paris et son «intelligentzia» me faisait parfois peur car je ne suis pas un contempteur du monde, tout au plus de la connerie, et encore, parfois elle me réjouit! Peut-on reculer dans le futur? L'éloigne-ment dans l'espace est comme un recul dans le temps. J'ai si souvent vécu aux antipodes que j'en suis arrivé à juger des œuvres de mes contemporains sans indulgence. Ce n'est pas du mépris. Je ne suis pas pion. Mais lire à l'ombre d'une termitière ou installé le plus comfortablement possible entre les racines aériennes d'un pilocarpe (tout en se méfiant des serpents) c'est lire comme la postérité le fera avec beaucoup de détachement et une soif ardente de connaissance. Ce n'est pas de la simple curiosité ou le désir de nouveauté. On veut savoir. Qu'est-ce que l'homme? Comment vivait-on? J'emporte non seulement mes vivres, mes armes et mes munitions et deux, trois tonnes d'essence dans ma voiture, mais avec ma provision de cigarettes aussi une caisse de livres, toutes les nouveautés de la saison et que je sème tout le long de la route à l'aller ou distribue dans les fazendas[11] perdues pour reprendre sur le chemin du retour les deux, trois tomes qui ont leur place dans ma carrosserie et que je me suis constitués en arrachant une page par ci, une page par là dans tel ou tel volume à cause de l'intérêt de la chose dite ou la précision de l'écriture, les poèmes, de la *Cantilène de Sainte Eulalie* à l'*Ascenseur Dada*[12], qui sont une anthologie à mon usage personnel, un chapitre bien tassé sur les femmes (Brantôme, Schopenhauer,

Odon de Cluny) et les aveux troublants (genre: *Mon cœur mis à nu*[13]) ou extraordinaires (comme la maladie de Jack London[14]) arrachés dans des confessions ou des journaux de bord et des rapports médicaux, scientifiques ou judiciaires, en tout 2-3.000 pages dépareillées, sanglées dans une peau de chien rouge, la même que celle inusable de ma carrosserie.

Mais il n'y a pas que l'éloignement pour accentuer ma rupture avec Paris et la rendre sensible. Au début, en 1917, quand je m'éloignais pour cacher ma joie de vivre car mon amour était tel, Raymone[15], que je craignais de tomber foudroyé, je ne poussais pas plus loin que la forêt des Landes[16]. Ce n'est que petit à petit et par une longue pratique de l'automobile, au fur et à mesure que les voitures se perfectionnaient et que la route s'améliorait, quand on put enfin faire de la vitesse, de la vitesse pure, que je compris que je me dépouillais insensiblement de tout en fonçant dans l'inconnu car à quoi peut-on comparer la vitesse sinon à la poussée lente de la pensée qui progresse sur un plan métaphysique, pénétrant, isolant, analysant, décomposant tout, réduisant le monde à un petit tas de cendres aérodynamisées (les angles s'usent au vent de l'esprit!) et reconstruisant magiquement l'univers par une formule fulgurante qui claque entre deux guillemets (comme on bat un record entre deux mises au point), cette illumination qui redonne vie: «*Le monde est ma représentation*[17].»

D'autres parleront de l'ivresse de la vitesse. Je sais bien que l'on peut faire corps avec son engin et que c'est une douce euphorie, voire une volupté des Dieux quand on a la sensation physique que les organes de la machine sont une prolongation, un perfectionnement des sens. Mais si le moteur tourne rond qui m'emporte, ma tête ronronne et je n'oublie jamais qu'au volant je vise le cœur de la solitude, assis dans la joie de la contemplation, le pied sur l'accélérateur. Mes pensées volent. Je n'ai aucun regret et plus de désir. Mon sourire abrasé par le vent de la vitesse fait s'écarter les hommes, frappe les femmes de stupeur, tombe parmi les poules, effraye les oies et les cochons, fait se cabrer les chevaux et détaler les mulets qui ruent et les ânes hilares, et je passe, ramassant tout cela des yeux, car ce qu'il y a d'admirable dans l'automobile, et ce que ne donne pas l'avion, c'est que la route, aussi triomphale soit-elle, ne s'écarte pas des hommes, se faufile au milieu d'eux, relie leurs villes à leurs villages, et que la N 10 en particulier, de Notre-Dame au Paraguay, d'un bout à l'autre ne cesse pas d'être quotidienne, c'est-à-dire utile, pratique, terre à terre, encombrée d'obstacles et pleine d'imprévu. La grâce de la vitesse. Je passais. Dépaysé dans un décor familier. C'est ainsi que passe l'ange de l'Annonciation[18] qui frappe Marie d'un éblouissement au seuil de son humble masure. Il passe en vitesse. Mystère de l'incarnation. Dieu s'est fait chair. Le fruit de l'amour est un petit enfant. Cette vérité humaine. Mais les bourgeois qui ne sont sensibles qu'à leurs aises et qu'à leur bien-être usent de la motorisation pour satisfaire leurs besoins sexuels (la vitesse qui est aussi un stimulant est un aphrodisiaque pour les énervés) et on les voit partir saisonnièrement et rentrer à dates fixes comme des troupeaux en transhumance[19] obéissant à un obscur besoin d'appétit et de reproduction. C'est pourquoi j'ai horreur des autostrades. Bientôt les routes seront revêtues de caoutchouc au lieu de macadam. On les gonflera comme des matelas. Les voitures seront démunies des pneus (plus de crevaison, ni d'éclatement) et des moteurs (plus de panne). La force motrice sera groupée par secteurs dans des centrales productrices d'énergie. Et... et sur un coup de sifflet un employé en casquette galonnée et agitant un petit drapeau rouge mettra en branle ces semblants d'automobiles en embrayant un levier unique dans la centrale et elles partiront toutes ensemble et rouleront bien sagement mais à une honnête moyenne sur ce mol matelas à sens unique. Je crois même que l'on remplacera les simili-autos par des bancs et par des lits de repos et que c'est la route qui sera tractrice comme les tapis roulants. Et pourquoi pas? C'est ainsi que je vois l'avenir. Après le chemin de fer le chemin de caoutchouc. Une voie de tout repos. Le progrès aussi a ses hérésies. Durant toutes mes randonnées sur la N 10 je n'ai rencontré qu'une seule fois un jeune homme qui, comme moi, avait l'air d'être épris de la vitesse. Comme moi, il était seul et sa voiture avait belle allure. Mais lorsqu'il se mit à vouloir faire la course avec moi, je compris qu'il en était encore au stade de l'ivresse physique et qu'il ignorait tout de la vitesse pure. Je lui cédai la route car j'ai également horreur des compétitions. La sagesse est le premier acquis de la vitesse. Les sages sont des gens vites. Les saints sont plus vites encore qui bénéficient de la lévitation. Voyez saint Joseph de Coupertine, cet as, qui devrait être le véritable patron de l'aviation. Il m'arrive de chanter tant je suis heureux d'aller vite. Ce matin-là, au milieu des cochons sauvages de la grande fondrière préhistorique sur les confins du Paraguay, troupeaux de pécaris qui ne me laissaient pas passer, je n'allais pas vite. Ces hordes qui débouchaient de partout en grognant m'évoquaient le grouillement des automobiles klaxonnantes qui débouchent de tous les chemins pour embouteiller le dimanche soir les grandes routes qui ramènent aux portes de Paris si bien que l'on n'avance que par à-coups. C'est ce qui m'arrivait au milieu de mes cochons musqués, et loin de m'impatienter, je riais et chantais, tellement le contraste était drôle :

> *La chanson d'un dadaïste*
> *Qui avait dada au cœur*
>
> *Fatiguait trop son moteur*
> *Qui avait dada au cœur*
>
> *L'ascenseur portait un roi*
> *Lourd fragile autonome*
> *Qui coupa son grand bras droit*
> *L'envoya au pape à Rome*
>
> *. . . . .*
>
> *Mangez du chocolat*
> *Lavez votre cerveau*
> *Dada*
> *Dada*
> *Buvez de l'eau*
>
> (Tristan Tzara.)

Donc, je m'en revenais à petite allure...

Les *estradas de rodagem*[20], le réseau routier brésilien qui vient s'embrancher sur la section ultratlantique de la N 10, sont des routes en terre battue et non macadamisées. Il ne s'agit pas d'y faire de la vitesse comme en Europe, mais, par compensation, on peut s'y abandonner au démon de la solitude dans les solitudes effarantes des *campos*[21]. On peut y rouler des jours et des jours sans y rencontrer âme qui vive et sans même faire lever un oiseau tellement la chaleur est accablante. Je rentrais par petites étapes, sans me presser, explorant les trous de tatou dans les remblais pour m'assurer le ravitaillement de la journée. On attrape le tatou en lui enfonçant une baguette dans le derrière, au défaut de la cuirasse. La chair du tatou est blanche et délicate et a l'aspect et le goût de celle du lapin de garenne. Le tatou pullule comme le lapin chez nous. C'est en somme un lapin à carapace. C'est un rôdeur nocturne qui, au petit jour, fait un trou dans le premier talus venu pour s'y rouler en boule dans sa carapace et faire la sieste toute la journée. Ces trous sont si peu profonds que souvent la queue de l'animal dépasse. Au moindre bruit le tatou rentre sa queue et enfonce ses ongles, qu'il porte longs, dans le sol. En rentrant sa queue, il se découvre le derrière et c'est par là qu'on l'a. De saisissement il lâche prise. On n'a qu'à le tirer à soi. Il ne réagit pas. On le fait cuire dans sa carapace, sous la cendre, comme un hérisson dans ses piquants. Cette petite bête est succulente arrosée de *caxaça* ou de *caninha*, les deux eaux-de-vie du pays. Après, je buvais le café et fumais cigarette sur cigarette en pensant à la première section de la N 10, celle de Paris à Rambouillet, où tant de jeunes gens et de jeunes femmes, dont je pourrais dire le nom, se sont tués en automobile pour avoir trop bien déjeuné! Moi-même, je faillis y être tué. Par deux fois j'y eus un accident. Un emboutissage et un accrochage dus non pas à mes excès de vitesse (rouler vite n'est pas dangereux quand on a une bonne voiture faite pour ça) mais, le deuxième, à la maladresse d'un banquier et, le premier, à la stupidité d'un chauffeur de camion fort de son droit de priorité que lui accordait, en effet, le code de la route. On ne peut pas exiger d'un pauvre type abruti par douze heures de boulot par jour d'avoir des réflexes de *gentleman-driver*. Armé à l'avant d'un pare-choc fait d'une traverse de chemin de fer l'homme fonçait comme un sourd en débouchant sur la nationale. Il venait de droite. A cette époque d'interrègne — le code de la route était changé tous les six mois, je n'étais pas toujours à la page — c'était légal. Il avait donc raison. Mais le gaillard se savait le plus fort avec son 10-tonnes. Heureusement que c'était un camion-citerne de vidange. 10 tonnes de merde, il ne m'en fallait pas tant pour me porter bonheur, mais j'en eus le souffle coupé quand, par surcroît, tout cela se répandit sur la chaussée. Cela se passait aux Essarts-le-Roi, avant le petit pont en dos d'âne où mon ami da Silva s'est tué en se fracassant le crâne contre le toit «tout acier» de sa conduite intérieure, ayant abordé ce petit pont de nuit, à plus de 100 à l'heure et ayant, sur ce dos en arête, été soulevé hors de son siège. Un peu plus loin c'est Chartres... la cathédrale de Chartres[22] qui, pour moi, quand je quitte Paris, par ses dimensions, ses proportions, le clair-obscur qui règne à l'intérieur, sa crypte, par la multiplication et la diversité des formes architecturales qui grouillent derrière son abside, à croire que[23] le maître-d'œuvre et le maître-maçon et tous les bons compagnons tailleurs de pierre qui ont coopéré à l'édification du nouveau temple de Dieu se faisaient en douce la main et essayaient en petit[24], derrière le chevet de l'antique basilique — aujourd'hui cet endroit non balayé est un pauvre et triste square — ce qu'ils allaient réaliser dans le grandiose monument de la Beauce[25] à l'échelle des tours, de la façade, du porche, des piliers, des colonnes et du chœur, la cathédrale de Chartres est, pour moi qui m'y rends, la première évocation de la forêt vierge, de ses arbres architecturaux, de sa façade rongée d'ombres et de soleil, des trouées de ses frondaisons, du silence religieux et plein d'échos mourants et de longs murmures qui règnent sous la voûte des branches, des fûts de colonne moussus, des contreforts et des architraves d'où pendent les lianes jusqu'à terre, les tapisseries des verdures, les bouquets des orchidées qui rutilent dans la pénombre comme des verrières, les coulées fauves des plantes parasitaires et, au niveau du sol ou à hauteur d'homme le fouillis des feuilles, des herbes, des fougères arborescentes dans la mosaïque des racines et des surgeons et l'odeur entêtante des pollens, des champignons, de la pourriture végétale et son humidité de crypte, de cave, de même qu'à l'autre extrémité de la N 10 la rencontre de Manolo Secca, qui tient la première pompe à essence quand on sort du *sertão*, du bled, de la brousse du Brésil, de ces solitudes inhumaines et sauvages pour rentrer par cette voie normale — c'est un chemin brûlé! — dans la civilisation et refaire son plein d'essence, Manolo évoque pour moi le premier de nos saints de France dont on ne se soucie pas plus chez nous que des pompes à essence, ces petites idoles barbares accessoires indispensables de la modernité, tout le long de la N 10, à Neuilly, à Chartres, à Poitiers, à Bayonne, saint Expédit, la Vierge Noire, sainte Radegonde, le petit curé de la Solitude d'Anglet...

L'Anhangabahù, le rio Paranahyba, le Morro de Favella et le cinéma «Poussière» à Rio-de-Janeiro, le *caminho do Mar*, la plage de Guarujà (Brésil), la plage de Nazaréa (Portugal), la Maceira à Lisbonne (ô Ville des Adieux, *adeus, adeus!*) et Dona Mercedes (Bonjour, toi!) les anges du tombeau de D. Inês dans l'église d'Alcabaça (surtout celui qui tire amoureusement le suaire sur le visage de l'Infante), Saint-Jacques de Compostelle (Espagne), Pampelune, la jaune Navarre, les contrebandiers qui passaient le trésor des Jésuites, les truites de Raparicida ou la chambre hantée de Zarauz, les chiens de Xavier, tout le Guipuzcoa, les passages de la frontière durant la révolution[26], ma rencontre avec la voiture de la «POUM» ou de la «PHALANGE[27]», Aïnoha (France), Claude à Saint-Jean-de-Luz, Biarritz, Eugénia, l'Angustura, les Artigaux, la Mimoseraie où Volga est enterrée au pied d'un magnolia (même, Rosita, les équipées à Saint-Bertrand de Comminges!) sont des étapes de la N 10 dont je ne dirai rien, plus de la moitié des trois volumes de mes «*Histoires vraies**» étant branchées sur la N 10 et cette série n'étant pas terminée, mais je tiens à crayonner ici le portrait de Manolo Secca. C'est un saint. A l'aller, je n'ai fait que passer, après avoir fait le plein à sa pompe; au retour, je suis resté huit jours chez lui, plongé dans une barrique de pétrole pour me débarrasser de la vermine: carapates, morpions, chiques, œufs, larves que l'on rapporte quand on sort de la brousse, du bled, des marais, de l'océan des herbes et qui vous grouillent sous la peau; puis je refis le plein et je repartis. Je ne pense pas que je retourne jamais là-bas. Mais je n'oublierai jamais cet homme. Je lui écris régulièrement. Je lui envoie des cartes postales illustrées, les photos des saints de nos cathédrales et tout ce que je puis trouver de plus sensationnel et de plus excitant comme reproductions en couleurs d'automobiles de luxe car il ne voit pas passer trois automobiles par an. Manolo ne me répond jamais. Il ne sait ni lire ni écrire. Cela n'a aucune importance. J'écris quand même. Je sais que le vieux prie pour moi. C'était un vieillard. Il y a des années de cela. Je sais que Manolo Secca n'est pas mort. Je le sens. Je continue à lui écrire...

Quand on vient par le chemin brûlé on voit une pompe à essence. Quelle émotion, c'est la première! Mais c'est aussi la seule et l'unique au monde surmontée d'une croix... Et ce bon Manolo est là, comme un ermite, qui vous sourit sans rien dire.

Manolo Secca est un nègre espagnol, originaire de l'île de Cuba où il a fait la guerre contre les États-Unis et y a laissé une jambe, la jambe gauche. Je ne sais à la suite de quel vœu ni quand il est venu tenir cette pompe à essence perdue au fin fond des immensités du Brésil. Je ne le lui ai pas demandé et probablement que si je le lui avais demandé, il ne m'aurait pas répondu car Manolo Secca est taciturne et ne raconte rien. Tout le long du jour depuis les années, les années, les années et les

---

*«*Histoires vraies*» (1937), «*La Vie dangereuse*» (1938), «*D'Oultremer à Indigo*» (1940), 3 vol. chez Grasset.

années qu'il est là, à la frontière du monde possible, une zone désertique que j'ai mis quinze jours à franchir en auto, il taille des statues dans des billes de bois qu'il débite lui-même, des statues noires et des statues blanches, selon le bois qu'il a choisi, bois de *cajù*[28] et bois de palissandre, des personnages grandeur nature dans des petites automobiles, si petites que chaque personnage a la sienne. Il travaille à douze chantiers à la fois dispersés en cercle autour de la pompe à essence et lorsque je séjournais chez lui j'ai compté exactement 308 personnages, dont certains étaient terminés et d'autres à peine ébauchés ou dégrossis. Ce sont les douze stations de la Croix. La scène représentant l'arrestation du Christ au Jardin des Oliviers comportait 40 personnes, chacune debout dans sa petite automobile. Il n'y avait que deux exceptions: Ponce-Pilate se lavant les mains[29] ne se les lavait pas dans une bassine, mais il était debout en uniforme d'amiral sur un cuirassé battant pavillon américain et se lavait les mains en les laissant pendre directement dans la mer; pour l'entrée du Christ à Jérusalem, Notre-Seigneur, comme il est classique de le représenter, cheminait sur un âne, mais tous les autres personnages, les disciples à sa suite et le peuple qui se portait à sa rencontre, étaient chacun debout dans une petite automobile et sur la porte de Jérusalem il était gravé maladroitement au couteau un mot que je crus pouvoir déchiffrer: «XAXAZE», probablement «GARAGE» (?). Chose curieuse, toutes ces ridicules petites voitures étaient à conduite intérieure et les personnages étaient debout sur leur toit. Manolo Secca se montra si émerveillé de ma voiture découverte, une torpédo de grand tourisme, qu'il en prit les mesures en me promettant de faire ma statue debout dans ma voiture grandeur nature et de nous placer devant la pompe à essence. « — Vous m'avez ouvert les yeux», zézaya-t-il. Nul doute que le vieux bonhomme n'ait tenu parole et peut-être bien qu'il me taille en plein cœur de *cajù* comme je lui écris des lettres car en partant je lui avais bien recommandé de me faire en noir, en bois noir. Sur ce, il m'a béni. J'ai oublié de dire que toutes les nuits, Manolo Secca les passait en prière. A part ça, il ouvre rarement la bouche. Mais il sourit continuellement, continuellement, comme il travaille sans arrêt. Tout à ses pensées.

... D'où me vient ce grand amour des simples, des humbles, des innocents, des fadas et des déclassés? Est-ce par atavisme? Je ne le crois pas. Mon père était tolérant et bon au point d'en être bête. Beaucoup d'idées. Aucun esprit de suite. Ma mère s'imaginait être une incomprise. Beaucoup de sentiment. Le goût du malheur. Mon grand-père maternel était un riche, dur et autoritaire. Tout le monde le craignait. Je l'aimais bien, il me gâtait. Je ne sais rien de mon grand-père paternel, sauf qu'il était vigneron. Travaillait-il dans sa vigne ou à la louée? Je l'ignore. On ne parlait jamais de lui à la maison et je ne l'ai jamais vu. Ma grand'mère maternelle était une sainte femme, un cordon-bleu qui avait toujours un livre à la main dans sa cuisine et quelques ouvrages de mysticisme (Madame Guyon) dissimulés derrière les bocaux dans son placard de confitures. Ma grand'mère paternelle était une vieille femme qui prisait beaucoup et je ne me souviens de rien d'autre d'elle. Mon père lisait Balzac. C'est lui qui m'a donné «*Les Filles du Feu*» de Gérard de Nerval[30]. Je n'avais pas dix ans. Ma mère étudiait Linné. Elle adorait les fleurs. Elle savait un peu de latin, juste ce qu'il en faut savoir pour s'y reconnaître dans les classifications de la botanique. J'ajoute pour mémoire que l'on compte dans ma famille le fameux naturaliste, anatomiste et écrivain Albert de Haller, l'illustre mathématicien Léonard Euler, appelé à la Cour de Catherine II et Lavater*, le philanthrope bien connu, l'inventeur de la physiognomonie[31], cette science fantaisiste qui devait tant troubler Edgar Allan Poë, E.-T.-A. Hoffmann et Charles Baudelaire. Tout cela, je crois, du côté de maman. Et rien du côté de mon père qui devait être

---

*Note pour le Lecteur inconnu: «C'est par erreur que page 282 de mes «*Poésies complètes*» (Ed. Denoël, Paris, 1944) Pestalozzi est placé dans ma parenté. Il faut lire Lavater. A la suite des ennuis de l'occupation allemande je n'ai pas pu corriger les dernières épreuves à temps.»

B. C.

de souche paysanne. Tout cela est bien vague et me paraît bien incertain. Je ne le sais que par ouï-dire. Est-ce mon début dans la vie, ma fugue en Chine, en Sibérie, en Russie — je n'avais pas 17 ans — qui m'a si profondément marqué ? Aujourd'hui, j'en doute aussi. Aujourd'hui, ma véritable famille se compose des pauvres que j'ai appris à aimer non par charité mais par simplicité, de quelques très grandes dames que j'ai rencontrées dans la vie et à qui je suis resté fidèle comme elles me le sont restées elles-mêmes, ces chères amies, de deux, trois têtes brûlées[32], comme mon vieux copain Sawo de la Légion Étrangère, que j'ai connu au front et qui, depuis, s'est fait gangster. La guerre m'a profondément marqué. Ça, oui. La guerre c'est la misère du peuple. Depuis, j'en suis...

Des braves gens il y en a tout du long de la N 10, d'un bout à l'autre ; j'entends des pauvres, des vrais pauvres, de ceux qui sont honteux et qui n'ont pas perdu l'espérance, des pauvres comme ceux dont parlent les Évangiles, et non pas des nouveaux pauvres plus arrogants encore que les nouveaux riches, et pleins de revendications, et qui connaissent leurs droits, qui n'ont que ce mot à la bouche, qui intriguent, se groupent et se faufilent dans tous les Comités, victimes de ceci, victimes de cela, de la Guerre, des Inondations, etc., etc., et qui depuis vingt ans, en France, reprennent du poil à la bête et prennent rang dans la politique. Ce sont d'ignobles cafards, mais pas autant que les chômeurs intellectuels, pouah ! qui sont des arrivistes professionnels, hypocrites et pharisiens, qui frappent et attendent patiemment derrière toutes les portes*...

Je l'ai dit, j'ai mes habitudes sur la route et surtout celle de m'entretenir tout seul et de suivre jusqu'au bout mes raisonnements car rien ne s'allie aussi bien à la vitesse que les démarches de l'esprit et les associations d'idées un peu plus lentes que la fragmentation du paysage qui se décompose et se recompose comme un puzzle. Un pont. Une rangée de peupliers. Une, deux,

---

*A l'entendre, on dirait qu'ils se sont tous casés à la Radio Nationale.

trois bornes qui sautent. Un coup de klaxon. Je prends le virage
à la corde. J'attaque une côte et je sais très bien qu'en ralentis-
sant au sommet je me livre à une démonstration gratuite pour
donner à mon ami Jacques-Henry Lévesque[33] une leçon inutile
de conduite et de bonne tenue de route, à lui, qui n'a pas de
voiture, et jusqu'au bout de la ligne droite je m'entretiendrai avec
lui tout en accélérant, en accélérant. Cher Jacques, durant une
dizaine d'années je vous ai ainsi donné des leçons à votre insu et
je suis tout surpris que vous ne sachiez pas encore conduire!
Mais nous parlons aussi poésie sur la route, poésie, art, cinéma,
inventions, Paris, toujours aux mêmes endroits et toujours à
partir du sommet des côtes et jusqu'au fin bout de la ligne droite,
où tout à coup vous disparaissez dans un cahot pour sauter à
nouveau plusieurs fois de suite à côté de moi en cours de route
parler voyance ou démonologie et je vous réponds en vous ex-
posant mes ennuis domestiques sans plus vouloir discuter avec
vous de certaines données métaphysiques. Dans mes meilleurs
moments je vous récite mes tout derniers poèmes. Que l'imagination est une belle chose! Cela me prend toujours aux mêmes
passages, entre Loire et Indre, quand la N 10 monte et descend
comme les montagnes russes de «*Luna-Park*[34]» et traverse un des
plus chers paysages de la France. C'est ainsi que je vous mêle à
mes lubies de voyageur-éclair et ne soyez pas surpris si, au retour,
je n'ai plus rien à vous dire, Jacques. Vous ignoriez cette manie.
Ne m'en veuillez pas. C'est un passe-temps, un compte-tours.
Mon moteur ronfle. Ma tête ronronne. Je fonce en avant et je me
vois dans le rétro[35]. A chaque bout de la route j'ai un amour.
Paris. Asuncion. La N 10. Nord — Nord-Est — Sud — Sud-
Ouest. Sur la carte, une droite[36] de 10.000 kilomètres. Ma vie.
Un mouvement armillaire. Durant vingt-cinq ans j'ai circulé
sur cette route. Mon amour à chaque bout.

MEMENTO ET MEMORABILIA.— *En mai 1940, subissant
la fortune des armées, je suivais le G. H. Q. brittanique d'Arras
à Louvain, à Bruxelles, à Lille, à Amiens et, en juin, je suivais le*

sort des A. A. S. F. — R. A. F. — H. Q. (Forces Combattantes
Avancées de l'Air de la Royale Air-Force — Quartier Général)
que j'avais été rejoindre après Dunkerque[37] *et qui sans cesse
alertées s'envolaient de Reims à Troyes, s'installaient à Blois,
déménageaient à Nantes, avant d'aller réembarquer à Brest.*

*Roulant dans ma voiture personnelle je traversai une première
fois la N 10, d'est en ouest, au sud de Tours, le 13 juin, venant de
Chenonceaux et me rendant à Bressuire embrasser des amis en
passant par la petite route de Chinon, et une deuxième fois, d'ouest
en est, au nord de Bordeaux, le 17 juin, à Barbezieux, venant de
Cognac, où je n'avais pas eu le courage d'aller embrasser d'autres
amis (il y avait trop de jeunes femmes et de petits enfants réfugiés
dans cette vieille maison) et me rendant à Marseille pour tâcher
de rejoindre la dernière base britannique en France et désirant
aller jusqu'au bout de ma mission de correspondant de guerre.*

*La N 10, une et deux fois, et je ne la parcourais pas dans le
sens de la longueur!*

*Deux dates fatidiques: le 13 juin, au sud de Tours, nous étions
en corps et j'avais l'impression que nous allions faire un nœud
au débouché de la petite route de Chinon et ligaturer la N 10 dont
le sang artériel s'écoulait à flot, venant de Paris, à gros bouillons
pressés, de Paris qui se vidait, le cœur cessant de battre...; le 17
juin, à Barbezieux, j'étais seul, la route vidée et noire, et j'eus une
impression d'asphyxie, de mort, la mort de la France...*

*C'est à Barbezieux que j'appris, des gendarmes qui parlaient de
m'arrêter parce que je portais uniforme et casque étrangers, que
Pétain avait demandé l'armistice à midi et quart.*

*Le lendemain soir, à Marseille, on me menait au commissariat
de police. Je n'avais pas de chance. Il n'y avait plus de base. Elle
avait été incendiée. Les Britanniques avaient réembarqué la veille
ou l'avant-veille au soir. Sur le port, je me trouvais être le dernier
Anglais en uniforme!...*

*On pourra lire mes aventures durant «la drôle de guerre» dans
«101.000 kilomètres pour rien», si jamais j'écris ce livre dont le
titre m'a été donné par le compteur de ma voiture, chiffre qui*

indique le kilométrage que j'ai parcouru seul, au volant, du 3 septembre 1939 au 14 juillet 1940, jour où j'ai remisé la voiture dans un garage d'Aix-en-Provence. C'était la même, celle qui m'avait déjà ramené du Paraguay. En 1942, elle a échappé seule sur 86 voitures à l'incendie du garage d'Aix. En 1944, huit jours avant la libération, les «Miliciens[33]» ont démantibulé les pneus, la capote, le tableau de bord, le moteur. Aujourd'hui c'est une épave. C'était une «Alpha Roméo» dont Georges Braque avait dessiné la carrosserie. J'ai toujours eu des voitures étrangères. Une voiture française ne me fait pas trois jours entre les mains. Il me faudra une «Jeep»... pour aller à Berlin... le jour de la Victoire... quand les Alliés défileront!

NOTES

1. **Tremblay-sur-Mauldre**   dans la banlieue de Paris, où Cendrars a vécu pendant un certain nombre d'années; **la N 10**   la route nationale 10, une des grandes autoroutes de la France, qui va de Paris à la frontière espagnole en passant par Chartres, Poitiers, Angoulême, Bordeaux, et Biarritz.

2. **je mis en marche**   je mis ma voiture en marche.

3. **l'Yguassù**   l'Iguazu, rivière du Brésil, aussi magnifique chute d'eau; **le rio Parana**   grand fleuve qui sépare le Brésil du Paraguay.

4. **le Serpent à plumes**   symbole du dieu mexicain précolombien Quetzalcoatl.

5. **pampa**   prairie (esp.).

6. **Amour, quand tu nous tiens!**   «Amour, amour, quand tu nous tiens,/On peut bien dire adieu prudence!» (La Fontaine, «le Lion amoureux»).

7. *le Transsibérien*   la *Prose du Transsibérien et de la Petite Jehanne de France* (1913), recueil de poèmes où Cendrars célèbre ses voyages en train à travers l'Asie russe.

8. *le Guide Michelin*   guide routier très populaire en France qui contient des renseignements sur les restaurants, les hôtels, etc.

9. **au Bois**   au Bois de Boulogne, parc dans la banlieue de Paris où autrefois la haute société de Paris se promenait.

10. **futurisme** mouvement dans l'art et dans la littérature lancé en 1909 par le poète italien F. P. Marinetti qui voulait reproduire le chaos et le bruit de l'âge de la machine et qui glorifiait la guerre et la destruction.

11. **fazenda** plantation (port.).

12. *la Cantilène de sainte Eulalie* court poème en l'honneur d'Eulalie, vierge chrétienne qui subit le martyre plutôt que d'adorer les faux dieux; écrite en 881, c'est un des plus anciens documents littéraires en français vulgaire; *l'Ascenseur dada* poème de Tristan Tzara dont le vrai titre est «Chanson dada» (1923). Cendrars le citera plus tard dans l'essai.

13. *Mon cœur mis à nu* journal intime de Charles Baudelaire écrit entre 1862 et 1864.

14. **la maladie de Jack London** Cendrars fait allusion sans doute au *Voyage du Snark* (1911) où London raconte l'histoire d'une étrange maladie de la peau qu'il avait contractée dans les îles Salomon.

15. **Raymone** elle deviendra la femme de Cendrars.

16. **les Landes** région dans le sud-ouest de la France entre le Bordelais et l'Adour où se trouvent de grandes forêts de pins.

17. *«Le monde...représentation»* célèbre formule du philosophe allemand Arthur Schopenhauer (1788–1860) dans *le Monde comme volonté et comme représentation* (1819).

18. **l'ange de l'Annonciation** Gabriel, qui annonça à Marie qu'elle serait la mère du Messie.

19. **transhumance** migration périodique.

20. *estradas de rodagem* autoroutes (port.).

21. *campos* prairies (port.).

22. **la cathédrale de Chartres** cathédrale gothique du xiie–xiiie siècle, célèbre par ses vitraux.

23. **à croire que** au point qu'on pourrait penser que.

24. **se faisaient... en petit** s'exerçaient discrètement à leur métier et mettaient à l'épreuve en miniature les techniques qu'ils utiliseraient pour la cathédrale.

25. **la Beauce** pays très fertile qui se trouve autour de Chartres.

26. **la révolution** la guerre civile espagnole.

27. **POUM** Parti Ouvrier d'Unification Marxiste; **PHALANGE** parti fasciste espagnol.

28. *caju*   acajou (port.).

29. **Ponce-Pilate se lavant les mains**   Pour faire comprendre aux Juifs qu'il leur laissait la responsabilité de la mort du Christ, Ponce-Pilate se fit apporter de l'eau et en se lavant les mains s'écria: «Je suis innocent de la mort de ce juste, c'est vous qui en répondez.» Ainsi par ce geste il «se lava les mains» de l'affaire.

30. *les Filles du feu...* Nerval *v.* le glossaire des noms.

31. **physiognomonie**   art de connaître les hommes d'après leur physionomie, l'interprétation de leurs traits. Les affirmations de Cendrars au sujet de sa famille sont probablement en partie imaginaires.

32. **têtes brûlées**   aventuriers.

33. **Jacques-Henri Lévesque**   biographe et critique de Cendrars.

34. **Luna-Park**   grand parc d'attractions à Coney Island, New York, détruit à la suite d'un incendie en 1947.

35. **rétro**   rétroviseur, miroir qui permet de voir derrière soi.

36. **une droite**   une ligne droite.

37. **Dunkerque**   port de la mer du nord d'où en 1940 les armées alliées en retraite rembarquèrent vers l'Angleterre.

38. **Miliciens**   La Milice était un service d'ordre français qui collaborait avec les Allemands.

Montherlant | Le Dernier Retour

Et cum dicere, cœperit, agnoscamus ibis nos esse.
«Et quand il aura comméncé à parler,
nous nous reconnaîtrons dans ce qu'il dit.»
SAINT AUGUSTIN, Enarr. in ps. LIX.

Mon Dieu, que de choses ne valent pas d'être connues! On a écrit:
«L'utilité des voyages, c'est d'élargir sur la carte les terres où nous
n'avons plus envie d'aller.» Ainsi de tout. L'amour, l'aventure,
la liberté, les avoir connus, cela sert à quoi? «Terres où nous
n'avons plus envie d'aller.» Et la lecture, hélas, d'un certain
nombre de «chefs-d'œuvre»? «Terres où nous n'avons plus envie
d'aller.»

Le manque de désir brûle une âme, hier brûlée par le désir.
Comme ces plaines où paissait tout à l'heure la horde des taureaux,
qui s'est écoulée avec le soir, nous voyons brûlées et désertes, à
l'infini, ces plaines où paissaient jadis les troupeaux beuglants de
nos passions.

Je suis arrivé à la limite de ce que je pouvais dans le sens de
vivre (j'entends: vivre ardemment), au point où il faut tout

90

changer. Je ferme la vie comme on ferme un livre. Je ferme ce temps où j'ai été moins heureux dans la liberté que je ne le[1] fus un jour dans la contrainte, dans le désordre que dans l'ordre, dans une possession vaste et multiple que dans une possession resserrée. Quand l'âme, toute tremblante de sa déception, comme un homme qui croyait qu'une femme allait venir, et elle n'est pas venue...

Mon malheur est de souffrir, aussitôt que je ne jouis plus: pas d'état intermédiaire. Une petite Syracusaine me disait: «Quand je ne peux pas m'amuser, je dors»; elle restait au lit, les dimanches où elle n'avait pas d'argent à gaspiller. Oui, plutôt le non-être que le non-plaisir.

Une âme excédée d'elle-même aspire à se perdre de vue. Dans quoi s'anesthésiera-t-elle?

Dans l'ambition? Mais si sa vanité est morte, comme un nerf coupé? Quelle lumière sur le monde, que la vie trébuche — et chez certains se fige — quand elle n'est plus soutenue par la vanité!

Dans la cupidité? Mais si ce qu'obtient l'argent ne vous fait pas envie?

(X., n'ayant de cette somme nul besoin, demande à Y. cent mille francs. Les gagner, pour les rembourser, lui occupera un peu de temps. A voir cette démarche, je me demande si, parmi les hommes qui cherchent avec tant d'âpreté à gagner de l'argent, beaucoup ne le font pas à seule fin de se distraire d'eux-mêmes; bref, par désolation.)

Dans une œuvre, si elle est une âme créatrice? Se retirer dans son œuvre? Soit, si l'œuvre n'est qu'un prétexte. Je comprends aujourd'hui la sombre attirance qu'exerce sur les hommes le travail*.

Je suis des trois premiers siècles[2]. Le monde adore le Soleil, et il va se faire chrétien. Je souffre de la souffrance de Pan[3] avant qu'il se fasse chrétien, quand l'Orient lui a tourné la tête.

---

*La Rose de sable, long roman «social» qui me demanda deux années de travail assidu, et qui fut mis en chantier quelques mois après la composition du *Dernier retour*, fut-il l'aboutissement de la crise que reflète cet essai? Je ne saurais dire. C'est une hypothèse qui me vient à l'esprit aujourd'hui (1961).

Le tableau de Signorelli appelé *L'Ecole de Pan,* et que j'ai toujours appelé *La Tristesse de Pan.* Si jeune, et quelle mélancolie, sous sa lourde couronne de joie!

Ferrero a un bel essai sur la tristesse des Romains du temps d'Auguste. Flaubert écrit qu'à aucun moment du monde l'homme ne fut aussi seul, entre les dieux auxquels il ne croyait plus, et le dieu auquel il ne croyait pas encore. Pater dit qu'il n'est aucun accent de mélancolie que la fin du paganisme ait ignoré.

Le monde païen est triste de ne pas souffrir, autrement que par la satiété*. L'âme se réveille et a faim, et de quoi se nourrit l'âme? De sacrifice. Le monde païen en a assez de souffrir par la nature, il veut souffrir par la contre-nature. Il accueille ceux qui la prêchent.

Malheureux demain dans le renoncement, il l'était hier dans l'accomplissement. Il ne s'est agi que de passer d'un malheur à l'autre. Mais alors pourquoi bouger?

Parce que tout changement est une espérance. Aussi, parce que souffrir par le renoncement donne une joie que souffrir par l'accomplissement ne donne pas. Joie à quoi? Joie à l'âme.

Le christianisme a pu apporter quelque tristesse. Il a apporté aux âmes moyennes (les grandes la connaissaient déjà) une joie nouvelle: tout l'Eldorado[4] de la haute souffrance, avec les re-vanches subtiles du sacrifice, et les reprises sournoises de l'orgueil.

Dans le vaste univers, pensais-je, il n'y a que la nature qui ne soit pas digne de risée. Digne de haine, souvent. Mais non pas de risée. — Et, au-dessus d'elle, la honteuse fumée, la fumée obscène que font les croyances des hommes, la pensée des hommes, le tumulte des hommes, couverts par les roulements du néant.

Tenter de s'unir sans cesse davantage à la nature, ce qui se fait partie en se disant toujours oui à soi-même, partie par certains actes, je ne m'en suis pas fait faute. Mais le bon soleil, un vallon velouté, ce bœuf salivant d'extase[5], la chaleur élastique d'un sein

---

*Quelles qu'aient été les limitations de la personnalité et de la liberté dans le monde antique, limitations sur lesquelles on n'insiste pas assez. Elles feraient un sujet de thèse bien tentant.

ne peuvent fournir qu'une réponse incomplète. S'il m'arrive un jour d'être dans une disposition où je tienne pour secondaire le plaisir que me donne le bol de lait que je bois à mon réveil, le lait ne le sait pas, et n'en est pas triste. Mais moi je le regarde avec tristesse en voyant qu'il est insuffisant, et qu'il ne s'en doute pas. Au point de vouloir parfois qu'il s'en doute et qu'il soit triste, et de le baiser par pitié avant de le boire. Pauvre lait, il me donne ce qu'il peut. «Pauvres corps, ils m'ont donné ce qu'ils ont pu.»*

L'enfer de la facilité.

Il faut à toute force briser ce cercle, trouver des façons de s'élever, et *s'y cramponner*. S'attacher à quelque chose, c'est-à-dire se faire attacher au mât.

Avoir tant donné à ce qui est indigne. Donner un peu à l'honnêteté.

Avoir tant donné à la nature, donner à la contre-nature. Y entrer carrément, et ne pas chercher sa satisfaction.

Retrouver la folie.

Il faut se sauver, et il faut se sauver sans croire!†

De nombreuses tribus marocaines prennent le fusil pour défendre un Islam auquel elles *ne croient pas* et qu'elles *ne pratiquent pas*. Que cela a d'étendue!

Il faut se sauver, et il faut se sauver sans croire! Il faut se donner, et il faut se donner à ce qu'on n'aime pas!

Quelqu'un me disait: «Devant l'hypothèse de la non-immortalité de l'âme, je suis comme devant un mur, comme devant le podium des cirques romains, contre lequel des lions mourants se dressaient, les griffes glissantes, cherchant une issue à la mort.» Je lui répondis que la création, elle aussi, quelquefois est un mur, contre lequel on se dresse sans pouvoir se prendre, pour aimer.

Il faut aller chez les hommes, et y être plus humain, alors que

---

*Quelqu'un qui lit ces pages, et qui a vécu, me dit: «Il vous a fallu cinq ans pour découvrir que la nature ne donne pas une réponse suffisante. Il ne vous faudrait pas quinze jours pour reconnaître que la Grâce en donne une moins suffisante encore.»

†Ces mots «se sauver» et «croire» ne sont pas pris ici au sens chrétien.

«plus je vais chez les hommes, plus j'en reviens inhumain»: l'inoubliable mot de Sénèque.

Il faut peut-être «servir». Moi qui ne peux pas et ne veux pas servir. Moi qui ne puis écrire sans dire non. Qui suis forcé de toujours dire non.

Il faut rechercher des devoirs, et il faut les aimer. Aimer ses devoirs! Epouser une cause (idiote par nature) en l'élevant jusqu'à soi, comme les rois de légende épousaient les bergères. Mais pourquoi prendre les autres pour fin, alors que, par ce même mécanisme, vous devriez à votre tour leur servir de fin? A quoi bon ce chassé-croisé laborieux, — cette chinoiserie? Que chacun s'occupe de soi. Est-ce que *soi* n'en vaudrait pas la peine, ce *soi* qui fut pour les Anciens le but suprême, qui est pour les chrétiens «le temple du Saint-Esprit»? (la charité est autre chose, jaillie du cœur. Mais n'a pas la charité que veut)[6].

Et est-ce que *soi* n'est pas ce que *soi* connaît le mieux? Qui vous garantit que, vous y efforçant, vous travaillez au bien des autres? Prétendre faire leur bonheur, quelle outrecuidance! Se fier à ses bonnes intentions, quelle naïveté! Les moyens de leur bonheur, ils en ont le flair plus que vous[7].

Il faut se monter la tête: jolie besogne.

Il faut se tirer soi-même de cela où l'on s'enfonce, comme le clown se tire par les cheveux lorsqu'il veut se remettre debout: fameuse clownerie.

J'étais au bon soleil, dans une prairie fière de ses fleurs, mais j'en ai assez, assez, assez; il faut en sortir. Cependant ma seule issue est dans une forêt abominable, pleine d'une obscurité qui me fait peur: jouissances de l'esprit et de l'amour-propre, genre sublime, service social et sociabilité, qui sont l'un et l'autre désir de plaire.

«Je m'éveille pour faire ma tâche d'homme» (Marc-Aurèle). Oui, cela est noble. Mais qu'est-ce que cela veut dire? Il n'y a pas de «tâche d'homme».

Et quelles affreuses félicitations à supporter! Touché par les pattes sales de la gloire.

Cette pente chez moi à l'effacement, ce besoin sauvage d'être oublié et tenu à l'écart, aussitôt que j'ai fait un peu de bruit, ce souhait ou plutôt cette volonté — tout préparé en vue de cela — d'avoir une mort de pestiféré. Toujours prendre la tangente; c'est vraiment mon pli invétéré. Dans la mort comme dans la vie.

La chair était un lion qui tournait dans sa cage. La pensée est un écureuil qui tourne dans sa cage. On dit que la chair est triste[8]. Oui et non. Mais l'esprit est triste. La vie de l'esprit, cette mort. «La gloire, ce deuil éclatant du bonheur[9].» La pensée, ce deuil grisâtre du bonheur. On dit que la chair est poussière. Et les constructions de l'esprit, non? Leur poussière nous cache le monde, qu'elles prétendent montrer. — Quant aux jouissances de l'amour-propre, elles ne valent même pas d'être jugées.

Dans le plaisir, on ne se demande pas: à quoi bon? Le ferait-on, la chair répondrait, avec quel élan: «Comment, à quoi bon! Bon à moi, pardi!» Mais, dans le monde où j'entre, la question se pose à chaque pas, inéluctable. La réponse elle aussi est inéluctable: «C'est complètement inutile. Ce n'est qu'une façon de tuer le temps.»

«(Jules César), né fier, ambitieux, et se portant bien comme il faisait, il ne pouvait mieux employer son temps qu'à conquérir le monde.» Le Bruyère ne s'est peut-être pas lui-même rendu compte à quel point il disait *le dernier mot,* en disant que la conquête du monde était une façon de passer le temps.

La formule: «Restant bien entendu que tout cela est sans importance» devrait être ajoutée d'office à la fin de tous nos discours, et, s'il se pouvait, de tous nos actes, comme les auteurs arabes finissent leurs chapitres ou leurs anecdotes par la réserve rituelle: «Mais Dieu connaît mieux la vérité.»

Il faut à toute force sanctifier tout cela, faire avec cette mort de la vie.

Ici la nature, dont il faut sortir. Mais on n'en sort que dans la grimace. Vivre dans la grimace, quand on est né avec cette infirmité, de ne pouvoir être que ce qu'on est!

De ne pouvoir dire les choses que telles qu'on les sent, ou telles qu'elles sont, au milieu de ces milliards et milliards de gens qui disent ce qu'ils ne sentent pas, ou ce qui n'est pas.

La «bonne sœur», à notre chevet, quand nous sommes malade, ce n'est pas la religieuse; c'est la maladie elle-même qui est la bonne sœur. La maladie nous montre à quel point nos intérêts dans le monde sont factices. Toutes affaires sont brusquement interrompues, abandonnées à vau-l'eau, — et voici que ces choses qui s'éloignent, deviennent fantômes, je m'aperçois qu'elles prennent la vraie place qu'en réalité mon esprit leur assigne. Je m'aperçois qu'avec l'apparence d'entrer dans un état anormal j'entre au contraire dans ma norme, et que ma patrie est le détachement. Par faiblesse je restais dans la grimace[10]: je m'évertuais à *faire comme tout le monde*. Et la nécessité, qui me fait violence, me jette dans ma vérité malgré moi.

La simulation par laquelle nous feignons de nous prendre[11] aux choses, quand on la voit pour soi dans l'avenir, quelque trente années de cela, c'est affreux. Trente années dans une sape, sans air, sans lumière, à peiner durement, en sachant qu'on ne débouchera pas. Cela n'est même pas pur; tout ce sublime semble tenir sur une petite pointe de vanité. Notre raison nous dit: «La vérité est de ne rien vouloir d'autre que ce que veut le petit chat.» Mais le monde croirait que c'est par impuissance. «Qu'a-t-il fait de sa vie?» Alors nous nous piquons, nous serons sublime, nous n'avons pas le courage de n'être que chat. Bien des fois encore notre sublime se détraquera; nous tenterons de le remonter avec différentes clefs, la clef de la vanité restant toujours la plus sûre. La mort nous prendra enfin dans le sublime ou dans une panne de sublime, sans que nous sachions seulement dans quel ordre il nous plairait qu'elle nous inscrivît, celui de la nature ou celui de la spiritualité, et si nous voudrions mourir, comme l'un, d'un accès de rage, ou, comme l'autre, en transmettant le mot d'ordre *Æquanimitas*[12]. Nous nous arrêterons selon qu'il se trouvera, sur le noir ou sur le rouge; et nous mourrons au hasard, comme nous avons vécu, soit dans une cote mal taillée, soit dans une disposition d'un instant[13].

Nous ne sommes pas héroïque en vue du qu'en-dira-t-on; nous le sommes en vue de nous-même. Mais si nous devons n'exister plus dans trois quarts d'heure, faut-il, à ce moment encore, nous contraindre avec douleur pour nous plaire à nous-même durant un temps si court? Je conclus qu'il faudrait voiler la mort, et que, derrière le voile, on y pût être soi en toute tranquillité.

Un homme meurt, pendant que les domestiques et la garde volent ses objets, et son meilleur ami ses notes intimes, pour les tripatouiller. Il a demandé à ne recevoir pas les sacrements; on les lui a donnés, de force. Il a demandé à être porté tout droit du lit funéraire à la fosse commune; on lui fait un enterrement religieux. Il y a dix personnes à cet enterrement et trois au cimetière. Cet homme, c'est moi, dans quelques années. Mais qu'importe que des «dernières volontés» ne soient pas accomplies! Vous prenez l'être humain bien au sérieux.

Chercher, en sachant que le problème est insoluble; servir, en souriant de ce qu'on sert; se vaincre, sans but et sans profit; écrire, dans la conviction profonde que son œuvre n'a pas d'importance; connaître, comprendre et supporter, en ayant toujours devant l'esprit l'inutilité douloureuse d'avoir raison: il faut pourtant que je m'apprenne à trouver là de quoi prendre mes hauteurs et me soutenir au delà de moi-même.

Par le moyen de quoi? Par le moyen de l'âme, c'est-à-dire de la folie. «J'embrasse l'absurde.»

O âme!

Mais je garde une patte posée sur tout ce que j'abandonne. Je n'ai plus rien à tirer de ce vieil os écuré. Toutefois, qu'on n'essaie pas de me le prendre. Je serais encore capable de mordre.

Grâce ou nature? L'aile ou la cuisse? comme on vous demande dans les restaurants. — Les deux! je ne devrais pas avoir à vous le dire. Grâce et nature alternées, mais sur un rythme assez rapide pour qu'on n'ait pas le loisir de renier injustement celui de ces états qu'on vient de quitter, dans l'autre, comme il y a tendance à le faire quand le rythme d'alternance est lent. Voleter de l'un à l'autre comme l'oiseau entre terre et ciel.

Etant toujours d'un monde et de l'autre en même temps, je peux toujours dire à peu près sincèrement: «Pour qui me prenez-vous?»

Dans la guerre nous avons fait l'accord de la nature et de la grâce*.

La nature en défendant notre corps, préoccupation constante, en vivant sous la terre, sous le ciel, en attaquant et tuant, en donnant un plus grand prix aux satisfactions animales, décuplées par la privation: le manger et le boire, le dormir, le repos, la volupté.

Et la grâce dans tant d'austérité et de souffrance, plus ou moins consciemment offertes. Pour certains, le geste le plus misérable, porter les «bouteillons[14]», épuré. Non pas précisément aimé, sauf au début, mais du moins reconnu *dignum et justum*[15]. Et enfin cette offrande si simple: vouloir donner sa vie est le péché mignon des jeunes gens bien nés.

Une phrase de Montalembert cingle vers moi comme un oiseau: «J'ai pour l'avenir tout un plan de sacrifices qui me plaît.» Ils seront inaperçus du monde, qui ne sait pas ce que j'ai possédé.

Elle cingle vers moi comme la colombe de l'arche[16]; elle m'apporte un rameau; elle me dit que, dans la nuit sinistre où je suis, il y a quelque part une terre ferme avec une verdure nouvelle. C'est cette terre qui est une terre de sacrifices.

Autre phrase, du *Lysimaque*[17]: «Ce moment fut celui du retour de sa grande âme.» Je ne la redis pas sans trembler.

«Ayant tout obtenu, il me semble que je renoncerais à la liberté même[18].»

Avec une espèce d'épouvante, je vois revenir sur moi la sombre mer, dans son reflux, de tout ce que depuis cinq ans j'ai rejeté.

Je me sens envahi par tout ce que j'ai été jadis et que j'avais cessé d'être. Quel envahissement!

Grâce est du vocabulaire chrétien. *Surnature* peut prêter à confusion avec le «surnaturel» des sciences occultes. *Contrenature* n'a pas bonne mine. *Folie* m'est trop personnel. Mais est-il personne à qui échappe ce qui est commun à toutes ces expressions?

Hélas, Properce a tort : Prométhée, en modelant l'homme, n'a pas oublié l'âme[19].

Surmonter son dédain.

Ne plus plaisanter.

O âme, reviens à toi du fond où tu t'es retirée!

Un jour viendra où toutes ces raisons de trouble, en moi si impérieuses, me seront comme une femme qu'on a aimée et qu'on n'aime plus. Je ne saurai même plus retrouver les points de vue d'où elles m'apparaissaient. Elles seront remplacées par d'autres raisons de trouble, aussi obsédantes, aussi prêtes à se défaire comme des fumées.

Fixer la fumée, le faut-il?

Cette nuit, je me réveille, et une pensée me vient. Je ne la note pas, me rendors, et au matin il n'en reste plus trace. Si j'avais fait un geste, elle devenait de l'imprimé, courait le monde, m'était imputée ma vie durant, me survivait peut-être. Mais je n'ai pas étendu le bras, et elle est rentrée dans le néant. — Puisqu'elle n'avait pas plus de force, n'ai-je pas eu raison de ne pas étendre le bras?

Tout ce que je dis là est partout, traîne partout. Si j'ouvre n'importe quel livre, au hasard, m'y voici. Les jaillissements de ma substance et mes vicissitudes les plus intimes. Mon bien propre, qu'étiez-vous? Qu'avais-je besoin de moi-même? Mes idées, il n'y avait qu'à les prendre : elles étaient là, toutes préparées et étiquetées, comme des «spécialités» chez le pharmacien. Mon circuit, c'est la route touristique, battue par des millions de pas. Je boucle une expérience que des millions d'hommes ont bouclée, et bouclée à un âge moins avancé que le mien.

Toutefois, ce retard, qu'on ne me le reproche pas. Il n'y a rien que je n'aie vérifié par moi-même, et c'est pourquoi j'ai été si lent. Je n'ai rien endossé tout fait, pas écrit sur ouï-dire. J'ai dans les choses des racines. Je n'ai jamais dit que cela dont j'étais plein. Ces millions d'hommes qui, depuis toujours, ont eu la même expérience que j'ai eue, leur expérience ne m'a été d'aucune utilité. Et je n'estimerai un homme que si la mienne ne lui est d'aucune utilité. Qu'il tente sa chance! Des millions d'hommes ont trouvé la même route; il peut en trouver une autre. Il n'est pas vrai que ce soit folie de vouloir être sage tout seul.

Cette communauté, cette banalité dans le développement d'une âme, voilà bien de quoi déprimer notre amour-propre, si l'amour-propre avait besoin d'être fondé. Mais nous ne pouvons marcher, nous ne pouvons mettre une fois l'un de nos pieds devant l'autre qu'aveuglés par l'illusion d'être plus que nous ne sommes: qui se verrait tel qu'il est s'arrêterait et se coucherait par terre, comme un âne, et attendrait que le sable le recouvre.

La connaissance, il y a beau temps que son affaire est réglée. Restait la qualité de l'âme. Nous nous emportons contre la masse grossière (non pas les humbles, grand Dieu! mais les immondes, les gens qui fréquentent les bars, etc...) et nous disons: «Une chose compte, qui est la qualité de l'âme.» Mais un jour vient où le primat de cette qualité de l'âme nous apparaît comme une convention, parmi les autres. Faite[20] d'apports de hasard, se démentant sans cesse, bornée au dehors et bornée au dedans, sans paix dans le défaut et sans paix dans la satiété, basse si elle ne croit en rien, dupe si elle croit en quoi que ce soit, désolée si elle feint de croire par héroïsme, méprisable si elle feint de croire par hypocrisie, quel spectacle que l'âme!

Il n'est pas rare que des personnes, le matin, sachent qu'elles sont réveillées à leurs gémissements. Pourquoi gémir? C'est qu'elles se sont retrouvées. La première sensation du réveil est de sentir dans notre poitrine quelque chose de pareil à un organe pourri dont l'odeur nous infecte; c'est l'âme; un nœud de vipères, au centre de nous, se dévorant l'une l'autre, se changeant l'une en l'autre, l'amour en indifférence, l'humilité en orgueil, le désir en dégoût, etc... On tranche une des têtes; tout cela repousse et se convulse de plus belle. Notre corps sera en ruines que cela seul y demeurera aussi virulent qu'au premier jour. Nous n'en aurons fini qu'avec la mort de cette présence épouvantable,

que quelques-uns trouvent si aimable qu'ils la voudraient seule
de nous à renaître.

Ne dites pas que ce sont là des phrases. J'ai atteint un âge où
les seuls soucis d'art sont celui du mot propre, et de ne rien
ajouter. Vous parleriez comme je parle, si vous sentiez comme
je sens.

Ce dérangement qu'est l'âme, qui devrait être tu, car le plus
doux qu'on en puisse dire est qu'il est sans importance, et ne
mérite pas considération, quelques-uns le prisent si fort qu'il
leur faut publier le leur propre, et que le monde le commente,
et le lèche et le pourlèche, et qu'il les en glorifie. Il faut aussi
qu'ils en contaminent les autres: «Des fils! Des disciples! Ah!
que cela me chatouille donc d'«influencer»!» Est-il si sûr
cependant que l'activité de l'âme soit justifiable? Ce qu'il y a
de distingué en un homme qui a du talent sur le violon me
saute aux yeux. Ce qu'il y a de distingué en un homme qui se
tourmente pour l'immortalité m'apparaît moins nettement
d'abord. Je serais très intéressé par quelqu'un qui me dirait: «Un
homme en bonne santé ne s'occupe pas de son âme.»

Des hommes qui tremblaient de l'âme décidèrent que le
tremblement serait le meilleur de l'homme. Dans le Panthéon
des grands hommes, ceux qui ont tremblé sont au rayon
d'honneur; jamais quelqu'un d'équilibré n'y accédera. A cela
désormais rien à faire. La religion du tremblement est une des
maladies du monde moderne; c'est la forme évoluée du con-
vulsionnisme sacré des primitifs. Nous nous exhibons dans nos
contorsions, comme j'ai fait ici même. Nous nous lustrons la
tristesse comme une aile. Nous étalons l'inextricable confusion
où nous sommes, comme le *tonto*[21] d'Espagne ou d'Orient
mendie sous prétexte qu'il est idiot, et nous crions: «Venez voir
le recordman de la vie intérieure! Dites-moi que j'ai la tête
pascalienne[22]! Dites-moi que j'ai une belle âme!» O juste mort,
qui desséchera tout de bon «cette mare infecte». Quel scandale
si nous étions immortels! Nous revoir! Les revoir! Et enfin
la mort elle-même, qui fait justice de tout ce fatras, ne mérite
pas tant de réflexion.

Pour moi, au sommet, à la fin de tout, je vois un saint qui 1° ne croirait pas à Dieu; 2° croirait qu'en étant saint il accomplit sa nature, rien de plus, et qu'il n'y a pas plus de mérite à être saint qu'à être garde champêtre; 3° en conséquence se garderait, bien entendu, de tout ce qui pourrait sentir l'apostolat, c'est-à-dire la prétention ridicule de détenir la vérité...

NOTES

1. **le** heureux.

2. **des trois premiers siècles** des trois premiers siècles après Jésus Christ.

3. **Pan** fils d'Hermès et de Dryopé. D'abord un dieu pastoral, il finira par symboliser toute la Nature.

4. **Eldorado** pays imaginaire qui est censé regorger d'or.

5. **ce boeuf salivant d'extase** Montherlant semble faire allusion au poème de Leconte de Lisle, «Midi» (1852), où le poète décrit un champ en plein soleil et invite l'homme las de la vie des villes à s'absorber dans le néant du soleil implacable. Parmi les images du néant est celle des boeufs assoupis, dont la bave coule le long du fanon.

6. **Mais n'a pas ... qui veut** mais celui que veut avoir la charité ne l'a pas nécessairement.

7. **les moyens ... que vous** ceux dont vous voulez faire le bonheur savent mieux que vous en quoi il consiste pour eux.

8. **la chair est triste** Montherlant pense peut-être au vers célèbre de Mallarmé dans «Brise marine»: «La chair est triste, hélas! et j'ai lu tous les livres».

9. **«La gloire ... du bonheur»** «... et la gloire elle-même ne saurait être pour une femme qu'un deuil éclatant du bonheur» (Germaine de Staël, *De l'Allemagne*).

10. **la grimace** la dissimulation.

11. **nous prendre** nous retenir.

12. *Aequanimitas* équanimité.

13. **soit dans une cote mal taillée... disposition d'un instant** soit dans une situation de compromis soit dans un état de préparation provisoire.

14. **bouteillons**   marmites de campement.

15. *dignum et justum*   propre et juste.

16. **la colombe de l'arche**   Noé envoya une colombe pour chercher de la terre ferme. Elle revint à l'arche en apportant un rameau d'olivier, signe de la terre ferme et de la fin du déluge.

17. *Lysimaque*   tragédie en latin, *Lysimachus* (1677), de Charles de la Rue (1643–1725).

18. **«Ayant tout obtenu... liberté même»**   Montherlant, *la Petite Infante de Castille,* 1929.

19. **Properce a tort... l'âme**   Selon le mythe, Prométhée pétrit d'argile les premières figures humaines. Properce l'accuse d'avoir oublié l'âme — v. les *Elégies,* III, v. 8–10.

20. **Faite**   se réfère à l'âme.

21. *tonto*   idiot (esp.).

22. **la tête pascalienne**   Montherlant se réfère à la philosophie de Pascal où l'homme qui découvre l'absurdité de la condition humaine n'a qu'une solution et c'est de croire au Christ.

Camus | *La Mer au plus près*

J'ai grandi dans la mer et la pauvreté m'a été fastueuse, puis j'ai perdu la mer, tous les luxes alors m'ont paru gris, la misère intolérable. Depuis, j'attends. J'attends les navires du retour, la maison des eaux, le jour limpide. Je patiente, je suis poli de toutes mes forces. On me voit passer dans de belles rues savantes, j'admire les paysages, j'applaudis comme tout le monde, je donne la main, ce n'est pas moi qui parle. On me loue, je rêve un peu, on m'offense, je m'étonne à peine. Puis j'oublie et souris à qui m'outrage, ou je salue trop courtoisement celui que j'aime. Que faire si je n'ai de mémoire que pour une seule image? On me somme enfin de dire qui je suis. «Rien encore, rien encore...».

C'est aux enterrements que je me surpasse. J'excelle, vraiment. Je marche d'un pas lent dans des banlieues fleuries de ferrailles, j'emprunte de larges allées, plantées d'arbres de ciment, et qui conduisent à des trous de terre froide. Là, sous le pansement à peine rougi du ciel, je regarde de hardis compagnons inhumer mes amis par trois mètres de fond[1]. La fleur qu'une main glaiseuse me tend alors, si je la jette, elle ne manque jamais la

*fosse. J'ai la piété précise, l'émotion exacte, la nuque convenable-
ment inclinée. On admire que mes paroles soient justes. Mais
je n'ai pas de mérite: j'attends.*

*J'attends longtemps. Parfois, je trébuche, je perds la main, la
réussite me fuit. Qu'importe, je suis seul alors. Je me réveille
ainsi, dans la nuit, et, à demi endormi, je crois entendre un bruit
de vagues, la respiration des eaux. Réveillé tout à fait, je reconnais le vent dans les feuillages et la rumeur malheureuse de la
ville déserte. Ensuite, je n'ai pas trop de tout mon art pour
cacher ma détresse ou l'habiller à la mode.*

*D'autres fois, au contraire, je suis aidé. A New-York, certains
jours, perdu au fond de ces puits de pierre et d'acier où errent
des millions d'hommes, je courais de l'un à l'autre, sans en voir
la fin, épuisé, jusqu'à ce que je ne fusse plus soutenu que par
la masse humaine qui cherchait son issue. J'étouffais alors, ma
panique allait crier. Mais, à chaque fois, un appel lointain de
remorqueur venait me rappeler que cette ville, citerne sèche,
était une île, et qu'à la pointe de la Battery[2] l'eau de mon
baptême m'attendait, noire et pourrie, couverte de lièges creux.*

*Ainsi, moi qui ne possède rien, qui ai donné ma fortune, qui
campe auprès de toutes mes maisons, je suis pourtant comblé
quand je le veux, j'appareille à toute heure, le désespoir m'ignore.
Point de patrie pour le désespéré et moi, je sais que la mer me
précède et me suit, j'ai une folie toute prête. Ceux qui s'aiment et
qui sont séparés peuvent vivre dans la douleur, mais ce n'est
pas le désespoir: ils savent que l'amour existe. Voilà pourquoi
je souffre, les yeux secs, de l'exil. J'attends encore. Un jour
vient, enfin...*

Les pieds nus des marins battent doucement le pont. Nous
partons au jour qui se lève. Dès que nous sommes sortis du port,
un vent court et dru[3] brosse vigoureusement la mer qui se
révulse en petites vagues sans écume. Un peu plus tard, le vent
fraîchit et sème l'eau de camélias, aussitôt disparus. Ainsi, toute
la matinée, nos voiles claquent au-dessus d'un joyeux vivier. Les

eaux sont lourdes, écailleuses, couvertes de baves fraîches. De temps en temps, les vagues jappent contre l'étrave; une écume amère et onctueuse, salive des dieux, coule le long du bois jusque dans l'eau où elle s'éparpille en dessins mourants et renaissants, pelage de quelque vache bleue et blanche, bête fourbue, qui dérive encore longtemps derrière notre sillage.

Depuis le départ, des mouettes suivent notre navire, sans effort apparent, sans presque battre de l'aile. Leur belle navigation rectiligne s'appuie à peine sur la brise. Tout d'un coup, un plouf brutal au niveau des cuisines jette une alarme gourmande parmi les oiseaux, saccage leur beau vol et enflamme un brasier d'ailes blanches. Les mouettes tournoient follement en tout sens puis, sans rien perdre de leur vitesse, quittent l'une après l'autre la mêlée pour piquer vers la mer. Quelques secondes après, les voilà de nouveau réunies sur l'eau, basse-cour disputeuse que nous laissons derrière nous, nichée au creux de la houle qui effeuille lentement la manne des détritus.

A midi, sous un soleil assourdissant, la mer se soulève, à peine, exténuée. Quand elle retombe sur elle-même, elle fait siffler le silence. Une heure de cuisson et l'eau pâle, grande plaque de tôle portée au blanc[4], grésille. Elle grésille, elle fume, brûle enfin. Dans un moment, elle va se retourner pour offrir au soleil sa face humide, maintenant dans les vagues et les ténèbres.

Nous passons les portes d'Hercule, la pointe où mourut Antée[5]. Au delà, l'Océan est partout, nous doublons d'un seul bord Horn et Bonne Espérance, les méridiens épousent les latitudes, le Pacifique boit l'Atlantique. Aussitôt, le cap sur Vancouver, nous fonçons lentement vers les mers du Sud. A quelques encâblures, Pâques, la Désolation[6] et les Hébrides défilent en convoi devant nous. Un matin, brusquement, les mouettes disparaissent. Nous sommes loin de toute terre, et seuls, avec nos voiles et nos machines.

Seuls aussi avec l'horizon. Les vagues viennent de l'Est invisible, une à une, patiemment; elles arrivent jusqu'à nous et, patiemment, repartent vers l'Ouest inconnu, une à une. Long cheminement, jamais commencé, jamais achevé... La rivière et le fleuve passent, la mer passe et demeure. C'est ainsi qu'il faudrait aimer, fidèle et fugitif. J'épouse la mer.

Pleines eaux. Le soleil descend, est absorbé par la brume bien avant l'horizon. Un court instant, la mer est rose d'un côté, bleue de l'autre. Puis les eaux se foncent. La goélette glisse, minuscule, à la surface d'un cercle parfait, au métal épais et terni. Et à l'heure du plus grand apaisement, dans le soir qui approche, des centaines de marsouins surgissent des eaux, caracolent un moment autour de nous, puis fuient vers l'horizon sans hommes. Eux partis, c'est le silence et l'angoisse des eaux primitives.

Un peu plus tard encore, rencontre d'un iceberg sur le Tropique[7]. Invisible sans doute après son long voyage dans ces eaux chaudes, mais efficace: il longe le navire à tribord où les cordages se couvrent brièvement d'une rosée de givre tandis qu'à bâbord meurt une journée sèche.

La nuit ne tombe pas sur la mer. Du fond des eaux, qu'un soleil déjà noyé noircit peu à peu de ses cendres épaisses, elle monte au contraire vers le ciel encore pâle. Un court instant, Vénus reste solitaire au-dessus des flots noirs. Le temps de fermer les yeux, de les ouvrir, les étoiles pullulent dans la nuit liquide.

La lune s'est levée. Elle illumine d'abord faiblement la surface des eaux, elle monte encore, elle écrit sur l'eau souple. Au zénith enfin, elle éclaire tout un couloir de mer, riche fleuve de lait qui, avec le mouvement du navire, descend vers nous, inépuisablement, dans l'océan obscur. Voici la nuit fidèle, la nuit fraîche que j'appelais dans les lumières bruyantes, l'alcool, le tumulte du désir.

Nous naviguons sur des espaces si vastes qu'il nous semble que nous n'en viendrons jamais à bout. Soleil et lune montent et descendent alternativement, au même fil de lumière et de nuit. Journées en mer, toutes semblables comme le bonheur...

Cette vie rebelle à l'oubli, rebelle au souvenir, dont parle Stevenson.

L'aube. Nous coupons le Cancer[8] à la perpendiculaire, les eaux gémissent et se convulsent. Le jour se lève sur une mer houleuse, pleine de paillettes d'acier. Le ciel est blanc de brume et de chaleur, d'un éclat mort, mais insoutenable, comme si le soleil s'était liquéfié dans l'épaisseur des nuages, sur toute l'étendue de la calotte céleste. Ciel malade sur une mer décomposée. A mesure que l'heure avance, la chaleur croît dans l'air livide. Tout le long du jour, l'étrave débusque des nuées de poissons volants, petits oiseaux de fer, hors de leurs buissons de vagues.

Dans l'après-midi, nous croisons un paquebot qui remonte vers les villes. Le salut que nos sirènes échangent avec trois grands cris d'animaux préhistoriques, les signaux des passagers perdus sur la mer et alertés par la présence d'autres hommes, la distance qui grandit peu à peu entre les deux navires, la séparation enfin sur les eaux malveillantes, tout cela, et le cœur se serre. Ces déments obstinés, accrochés à des planches, jetés sur la crinière des océans immenses à la poursuite d'îles en dérive, qui, chérissant la solitude et la mer, s'empêchera jamais de les aimer?

Au juste milieu de l'Atlantique, nous plions sous les vents sauvages qui soufflent interminablement d'un pôle à l'autre. Chaque cri que nous poussons se perd, s'envole dans des espaces sans limites. Mais ce cri, porté jour après jour par les vents, abordera enfin à l'un des bouts aplatis de la terre et retentira longuement contre les parois glacées, jusqu'à ce qu'un homme, quelque part, perdu dans sa coquille de neige, l'entende et, content, veuille sourire.

Je dormais à demi sous le soleil de deux heures quand un bruit terrible me réveilla. Je vis le soleil au fond de la mer, les vagues régnaient dans le ciel houleux. Soudain, la mer brûlait, le soleil coulait à longs traits glacés dans ma gorge. Autour de moi, les marins riaient et pleuraient. Ils s'aimaient les uns les autres mais ne pouvaient se pardonner. Ce jour-là, je reconnus le monde pour ce qu'il était, je décidai d'accepter que son bien fut en même temps malfaisant et salutaires ses forfaits. Ce jour-là, je compris qu'il y avait deux vérités dont l'une ne devait jamais être dite.

La curieuse lune australe, un peu rognée, nous accompagne plusieurs nuits, puis glisse rapidement du ciel jusque dans l'eau qui l'avale. Il reste la croix du sud, les étoiles rares, l'air poreux. Au même moment, le vent tombe tout à fait. Le ciel roule et tangue au-dessus de nos mâts immobiles. Moteur coupé, voilure en panne, nous sifflons dans la nuit chaude pendant que l'eau cogne amicalement nos flancs. Aucun ordre, les machines se taisent. Pourquoi poursuivre en effet et pourquoi revenir? Nous sommes comblés, une muette folie, invinciblement, nous endort. Un jour vient ainsi qui accomplit tout; il faut se laisser couler alors, comme ceux qui nagèrent jusqu'à l'épuisement. Accomplir quoi? Depuis toujours, je le tais à moi-même. O lit amer, couche princière, la couronne est au fond des eaux!

Au matin, notre hélice fait doucement mousser l'eau tiède. Nous reprenons de la vitesse. Vers midi, venus de lointains continents, un troupeau de cerfs nous croisent, nous dépassent et nagent régulièrement vers le nord, suivis d'oiseaux multicolores, qui, de temps en temps, prennent repos dans leurs bois. Cette forêt bruissante disparaît peu à peu à l'horizon. Un peu plus tard, la mer se couvre d'étranges fleurs jaunes. Vers le soir, un chant invisible nous précède pendant de longues heures. Je m'endors, familier.

Toutes les voiles offertes à une brise nette, nous filons sur une mer claire et musclée. A la cime de la vitesse, la barre à bâbord. Et vers la fin du jour, redressant encore notre course, la gîte à tribord au point que notre voilure effleure l'eau, nous longeons à grande allure un continent austral que je reconnais pour l'avoir autrefois survolé, en aveugle, dans le cercueil barbare d'un avion. Roi fainéant[9], mon chariot se traînait alors; j'attendais la mer sans jamais l'atteindre. Le monstre hurlait, décollait des guanos du Pérou, se ruait au-dessus des plages du Pacifique, survolait les blanches vertèbres fracassées des Andes puis l'immense plaine de l'Argentine, couverte de troupeaux de mouches, unissait d'un trait d'aile les prés uruguayens, inondés de lait, aux fleuves noirs du Vénézuéla, atterrissait, hurlait encore, tremblait de convoitise devant de nouveaux espaces vides à dévorer et avec tout cela ne cessait jamais de ne pas avancer ou du moins de ne le faire qu'avec une lenteur convulsée, obstinée, une énergie hagarde et fixe, intoxiquée. Je mourais alors dans ma cellule métallique, je rêvais de carnages, d'orgies. Sans espace, point d'innocence ni de liberté! La prison pour qui ne peut respirer est mort ou folie; qu'y faire sinon tuer et posséder? Aujourd'hui, au contraire, je suis gorgé de souffles, toutes nos ailes claquent dans l'air bleu, je vais crier de vitesse, nous jetons à l'eau nos sextants et nos boussoles.

Sous le vent impérieux, nos voiles sont de fer. La côte dérive à toute allure devant nos yeux, forêts de cocotiers royaux dont les pieds trempent dans des lagunes émeraudes, baie tranquille, ·pleine de voiles rouges, sables de lunes. De grands buildings surgissent, déjà lézardés sous la poussée de la forêt vierge qui commence dans la cour de service; çà et là un ipé jaune ou un arbre aux branches violettes crèvent une fenêtre, Rio s'écroule enfin derrière nous et la végétation va recouvrir ses ruines neuves où les singes de la Tijuca[10] éclateront de rire. Encore plus vite, le long des grandes plages où les vagues fusent en gerbes de sable, encore plus vite, les moutons de l'Uruguay entrent dans la mer et la jaunissent d'un coup. Puis, sur la côte argentine, de grands bûchers grossiers, à intervalles réguliers, élèvent vers le ciel des demi-bœufs qui grillent lentement. Dans la nuit, les glaces de la Terre de feu[11] viennent battre notre coque pendant des heures, le navire ralentit à peine et vire de bord. Au matin, l'unique vague du Pacifique, dont la froide lessive, verte et blanche, bouillonne sur les milliers de kilomètres de la côte chilienne nous soulève lentement et menace de nous échouer. La barre l'évite, double les Kerguelen[12]. Dans le soir doucereux les premières barques malaises avancent vers nous.

«A la mer! A la mer!» criaient les garçons merveilleux d'un livre de mon enfance. J'ai tout oublié de ce livre, sauf ce cri. «A la mer!» et par l'Océan indien jusqu'au boulevard de la Mer Rouge d'où l'on entend éclater une à une, dans les nuits silencieuses, les pierres du désert qui gèlent après avoir brûlé, nous revenons à la mer ancienne[13] où se taisent les cris.

Un matin enfin, nous relâchons dans une baie pleine d'un étrange silence, balisée de voiles fixes. Seuls, quelques oiseaux de mer se disputent dans le ciel des morceaux de roseaux. A la nage, nous regagnons une plage déserte; toute la journée, nous entrons dans l'eau puis nous séchons sur le sable. Le soir venu, sous le ciel qui verdit et recule, la mer, si calme pourtant, s'apaise encore. De courtes vagues soufflent une buée d'écume sur la grève tiède. Les oiseaux de mer ont disparu. Il ne reste qu'un espace, offert au voyage immobile.

Certaines nuits dont la douceur se prolonge, oui, cela aide à mourir de savoir qu'elles reviendront après nous sur la terre et la mer. Grande mer, toujours labourée, toujours vierge, ma religion avec la nuit! Elle nous lave et nous rassasie dans ses sillons stériles, elle nous libère et nous tient debout. A chaque vague, une promesse, toujours la même. Que dit la vague? Si je devais mourir, entouré de montagnes froides, ignoré du monde, renié par les miens, à bout de forces enfin, la mer, au dernier moment, emplirait ma cellule, viendrait me soutenir au-dessus de moi-même et m'aider à mourir sans haine.

A minuit, seul sur le rivage. Attendre encore, et je partirai. Le ciel lui-même est en panne, avec toutes ses étoiles, comme ces paquebots couverts de feux qui, à cette heure même, dans le monde entier, illuminent les eaux sombres des ports. L'espace et le silence pèsent d'un seul poids sur le cœur. Un brusque amour, une grande œuvre, un acte décisif, une pensée qui transfigure, à certains moments donnent la même intolérable anxiété, doublée d'un attrait irrésistible. Délicieuse angoisse d'être, proximité exquise d'un danger dont nous ne connaissons pas le nom, vivre, alors, est-ce courir à sa perte? A nouveau, sans répit, courons à notre perte.

J'ai toujours eu l'impression de vivre en haute mer, menacé, au cœur d'un bonheur royal.

NOTES

1. *par trois mètres de fond*   à une profondeur de trois mètres.
2. **la pointe de la Battery**   l'extrémité sud de l'île de Manhattan.
3. **un vent court et dru**   un vent de courte durée et fort.
4. **portée au blanc**   chauffée à blanc.
5. **les portes d'Hercule**   le détroit de Gibraltar; **la pointe où mourut Antée**   Antée, fils de Poséidon et de la Terre, fut tué par Hercule, selon la légende, près de Tanger.
6. **Pâques**   île du Pacifique, à l'ouest de Chili; **la Désolation**   île inhabitée sur la côte nord de l'archipel de la Terre de Feu. Selon l'itinéraire que trace Camus on devrait passer la Désolation avant l'île de Pâques. Peut-être s'est-il trompé sur les positions relatives des deux îles.

7. **le Tropique**   il semble qu'il s'agisse du tropique du Capricorne.

8. **le Cancer**   le tropique du Cancer.

9. **Roi fainéant**   allusion aux rois fainéants: surnom des derniers rois mérovingiens, qui laissèrent toute l'autorité aux maires du palais, de Thierry III (652–691) à Childéric III (714–755).

10. **Tijuca**   faubourg de Rio de Janeiro.

11. **Terre de feu**   Tierra del Fuego, group d'îles au sud de l'Amérique méridionale, séparées du continent par le détroit de Magellan.

12. **les Kerguelen**   archipel français de l'océan indien, à égale distance du sud de l'Afrique et de l'Australie.

13. **la mer ancienne**   la Méditerranée.

III Méthodes et contre-méthodes

Ce sont les audacieux qui connaissent;
et l'esprit veut tout le courage possible
ALAIN

"L<small>E</small> <small>DOUTE EST LE SEL</small> de l'esprit», disait Alain, «sans la pointe du doute, toutes les connaissances sont bientôt pourries.» Comme Montaigne, il passa une bonne partie de sa vie à examiner ses propres connaissances qui étaient considérables. «Il n'est pas de jour de mon existence où je n'aie à surmonter quelque sottise de belle apparence», affirmait-il, apportant par là même un démenti à Péguy qui voit dans l'enseignement le contraire même, la nécessité de l'affirmation. Comme Alain, Péguy et Simone de Beauvoir sont des universitaires; et tous trois sont passés par «la filière» qui en France mène les enfants doués du lycée, à l'Ecole Normale Supérieure, et à l'enseignement, carrière où Péguy renonça à s'engager et que Simone de Beauvoir abandonna assez rapidement. Tous trois ont le même goût des allusions littéraires ou philosophiques et sont rompus aux formes traditionnelles de la discussion académique: exposition, réfutation, argumentation, conclusion. Tous trois sont en quelque sorte rebelles, refusant de suivre les chemins battus d'une carrière, démystificateurs aussi, s'opposant aux modes intellectuelles de l'heure.

117

Chacun, à son heure, qui pour Péguy suivit sa mort, a fait figure de «maître à penser» quoique, dans ce rôle, Simone de Beauvoir a toujours, peut-être un peu injustement, été éclipsée par Sartre. *Les Dieux*, dont nous donnons ici l'Introduction, traite un thème qui avait toujours préoccupé Alain. Comment expliquer la croyance, si persistante chez les hommes, à l'existence de dieux qui cependant restent obstinément invisibles? La question ne peut se poser sous cette forme qu'à un homme pour qui les dieux, n'existant pas en fait, sont des créations de notre imagination. Alain donne pour fondement à sa pensée, «le monde comme présent et résistant» et ne conçoit pas de «connaissance qui ne serait pas d'expérience». Il n'adhère à aucune croyance religieuse. Mais en tant que fait psychique la croyance religieuse existe et s'incarne dans le cérémonial de cultes divers, dans les temples, et dans les statues des dieux. C'est ce fait qu'il examine dans son traité dont l'introduction dévoile, selon lui, «l'article de philosophie première sur lequel tout repose», c'est-à-dire, le raisonnement sur lequel il fonde son explication de la genèse, de la nature et de la signification des dieux. C'est, en abrégé, une sorte de «somme» de la pensée d'Alain[1] et, simultanément, une illustration de la méthode d'investigation qui a façonné ses *Propos* et traités.

Alain, dans cet essai, nous fait passer de l'observation d'une mouche à une explication du rôle de la perception, des émotions, de l'imagination, du langage dans la création des dieux et à une sorte de morale qui pourrait s'intituler, «de l'usage qu'un homme doit faire de la religion dans laquelle il est né», propos d'Alain lui-même. Alain écrivait, dit-il, sans râture ni retour en arrière. En fait son essai met en jeu une pensée nourrie à nombre de «sciences de l'homme», habituellement soigneusement séparées :

---

[1]Les thèmes majeurs qui apparaissent dans l'introduction avaient paru séparément ou en diverses combinaisons dans certains *Propos* (*Propos sur l'esthétique* [1923], *Propos sur la religion* [1938]) ; dans son *Système des beaux-arts* (1920) et dans *les Préliminaires à la mythologie* écrits en 1932–33.

anthropologie, linguistique, psychologie, histoire de l'art, histoire des religions, philosophie. Mais Alain n'a recours à aucun de leurs vocabulaires spécialisés. Partant d'un exemple concret, l'illusion d'optique qui de la mouche crée un monstre, il le transforme en une sorte de «modèle réduit» du processus psychologique qui donne naissance aux mythes. L'erreur d'optique devient source de vérité et Alain relie ainsi la création du monstre au processus de création esthétique grâce auquel l'artiste, disciplinant ses émotions — actes virtuels selon Alain — et son imagination, contrôle et donne forme à l'imaginaire, c'est-à-dire à notre sens de l'inconnu. C'est la totalité de nos relations avec le monde et notre conscience totale de nous-mêmes dans le monde qu'Alain se propose d'engager ainsi. Et certes, le développement, par analogie, pour persuasif qu'il soit, démêlant le vraisemblable du purement imaginaire implique lui-même une tautologie cachée. C'est parce qu'Alain croit à l'unité et à l'universalité de la raison, lorsqu'elle travaille par rapport aux faits concrets qui se présentent à elle, qu'il peut ainsi passer de la mouche aux dieux. Humaniste, il croit à l'unité psychique qui préside à la naissance de la foule des dieux et qui éclaire d'une même lumière les croyances humaines les plus diverses. Sa méthode donc repose sur un article de foi. Mais le «propos» spéculatif se présente comme plausible et non dogmatique, et Alain joue franc jeu, selon les règles de base qu'il s'est données. C'est, dans tous les sens du mot, un «essai» qu'il nous propose, un mode d'investigation.

Très tôt dans sa carrière Péguy s'était donné pour tâche de «dire la vérité, rien que la vérité, dire bêtement la vérité bête, ennuyeusement la vérité ennuyeuse, tristement la vérité triste.» Mais jusqu'à son retour à la foi catholique vers 1908, c'est surtout par une vive réaction devant l'insuffisance des certitudes à la mode qu'il exprimait sa propre exigence de vérité. «De la situation faite à l'histoire et à la sociologie» est un vaste essai d'une cinquantaine de pages que Péguy publia dans le *Cahier* du 4 novembre, 1906. Péguy soulève une question assez étroitement académique à première vue: le transfert aux humanités — à l'histoire et à la sociologie naissante plus spécialement — de la méthode de recherche propre aux sciences. L'université française en effet, à l'époque, tant pour l'histoire de la littérature que pour l'histoire tout court, adoptait la méthode documentaire rigoureuse qu'avaient préconisée Renan et Taine, tous deux positivistes, et qui était de rigueur parmi les universitaires allemands. Il s'agissait encore d'organiser ces données en un ensemble cohérent. Implicitement les historiens de l'époque adoptaient comme principe d'organisation l'évolutionnisme, appliquant aux faits humains les principes mécanistes et déterministes dont les hommes de science discernaient la présence dans le monde matériel. L'histoire s'établissait ainsi comme «science», la reconstitution exacte de ce qui avait eu lieu, révélant l'enchaînement nécessaire des événements historiques que découvre l'historien. Peu d'historiographes aujourd'hui accepteraient tel quel ce point de vue, auquel Péguy se heurta dès son séjour à l'Ecole Normale et qu'il attaqua sans discontinuer au cours des années.

Déjà en 1904, dans son essai *Zangwill*, il avait dénoncé les méfaits de cette méthode appliquée à l'histoire littéraire et satirisé l'apparition dans ce domaine du «vir scientificus», du savant pour qui la connaissance littéraire s'assimile au genre de connaissance propre aux «sciences naturelles ... chimiques, physiques». Comme Kierkegaard, face à Hegel, il dénonçait «la prodigieuse audace métaphysique» du savant qui, s'occupant des humanités, oublie sa propre situation humaine et se place en dehors et au-dessus des faits qu'il examine et juge comme s'il était Dieu lui-même. C'est le genre de problèmes sur lesquels Bergson, qu'admirait Péguy, attirait lui aussi l'attention. «De la situation faite à l'histoire et à la sociologie» reprend les mêmes problèmes. Mais, les problèmes à part, c'est la méthode de Péguy qui surprend et à la longue fascine le lecteur qui n'est pas d'emblée rebuté. L'essai comporte une cinquantaine de pages, dont nous donnons une vingtaine seulement, mais sans coupure, assez pour qu'apparaisse clairement la démarche particulière de la pensée de

Péguy, la contre-méthode en somme qu'il oppose à la méthode qu'il s'agit de déconsidérer.

Cette méthode, il la définit lui-même au début de l'essai à partir de deux principes. Il déplore d'abord les «très sèches méthodes linéaires» qu'il oppose à l'image complexe du mouvement de la moissonneuse-lieuse qui coupe, ramasse, et lie en gerbes tous les épis séparés d'un champ, image concrète chère au «paysan» que Péguy se voulait, face à l'intellectuel. Obligé malgré tout de «suivre» son argumentation «comme un fil», Péguy en décrit les procédés en une série d'images de plus en plus concrètes: approchements; approfondissements successifs; sondages; cheminements; galeries de mine; moyens de la sape. C'est une place-forte qu'il investit, de tous les côtés à la fois et non sans humour comme l'indique la métamorphose de «fil» en «file» et «défiler». Les images ne sont point gratuites, à plusieurs titres.

La méthode que Péguy attaque est une méthode linéaire. Elle établit des liens de cause à effet entre les faits qu'elle accumule. Cette méthode est devenue un dogme, sorte de religion d'état, camp retranché dont il s'agit de saper les fondations. Péguy, lui, préfère penser en «volumes», synthétiquement, et considérer la question dans la totalité de ses multiples relations. Ce qu'il fera si bien qu'en cours de route, après les premières considérations, il abandonnera le second terme à examiner, la sociologie. En second lieu, sa démonstration s'appuiera, avertit-il sur «la méthode des cas rares ... des cas limites[2]». Son essai ne restera donc pas abstrait mais examine des cas concrets. Et ceci aussi est logique. Car l'histoire moderne selon Péguy erre en ce qu'elle met l'historien entre parenthèses, oubliant qu'il n'est point d'histoire sans historien. D'où au cours de l'essai, le portrait satirique de divers types d'historiens professionels: les «filiformes», pour qui l'histoire est une carrière;

---

[2]Certaines expressions, propres à Péguy—situation, cas limites—seront reprises par Sartre, dans un autre contexte. Péguy, comme Alain, a largement préludé à l'existentialisme français.

les érudits qu'il charge La Bruyère de ridiculiser et enfin les deux grandes figures qu'il oppose l'une à l'autre, Renan et Michelet. Simultanément sa pensée chemine, passant de l'histoire aux trois types d'enseignement — primaire, secondaire, supérieur — et aux attitudes qu'ils déterminent, aux méthodes de recherche et ce qu'elles impliquent. Elle semble avancer au hasard, par répétitions et variations, gauchissant chaque fois le sens premier des mots. Cependant rien de plus sûr que ce développement en apparence discontinu qui s'ordonne tout au long selon un système de contrastes: ligne—volume; file—front; certitude — incertitude; enseignement — science; science-historienne—science historique; force d'affirmation—force d'hésitation. La discussion vient se résumer dans l'évocation de deux figures — celle de Michelet, l'homme essentiel — par rapport à Renan, un homme comme les autres.

Ce n'est pas tant la méthode qu'attaque Péguy, que la qualité de l'interrogation que l'historien adresse à l'histoire. C'est l'interrogation angoissée qui selon Péguy marque «les hommes essentiels» et qu'aujourd'hui nous nommons le sens de l'absurde. Idiosyncratique à l'extrême, enraciné dans une actualité si particulière que le contexte même du débat semble obscur, l'essai nous révèle l'effort d'un esprit pour qui penser n'est point un exercice de logique mais une façon de saisir un problème avec tous ses prolongements, d'engager en somme sa personnalité entière dans le débat. C'est ce que Péguy nomme probité et qu'aujourd'hui nous nommerions engagement. Il est certain que la violente réaction de Péguy contre le positivisme rationaliste de ce qu'il appelait le «monde moderne» éclaire son propre cheminement intérieur, le «oui» qu'implique son «non». Ce n'est pas le doute qui dirige le développement de l'essai de Péguy mais une sorte de certitude encore non explicite. Il nie l'interprétation positiviste de l'histoire implicite dans la méthodologie contemporaine parce qu'il rejette absolument l'image de l'aventure humaine que cette méthodologie implique.

L'essai de Simone de Beauvoir ne soulève en somme aucun

problème: pour elle la question des rapports de la littérature
et de la métaphysique est résolue, ou sur le point de l'être. C'est
une sorte de double manifeste qu'elle présentait en 1946, dans
la jeune revue existentialiste *les Temps modernes*, une élucidation
des thèses que Sartre développait dans sa série d'essais-manifestes,
«Qu'est-ce que la littérature?» Le titre de l'essai, en fait, ne
correspond pas exactement au contenu, où il s'agit plutôt du
roman que de la littérature. Au début, la pensée semble flotter
entre deux positions: d'une part, le roman a toujours comporté
une métaphysique; d'autre part, l'existentialisme par sa nature
même rend possible une littérature métaphysique que les philo-
sophies idéalistes antérieures excluaient. L'essai commence,
comme celui d'Alain, par le rappel d'un fait d'expérience: un
souvenir d'enfance. Mais il paraît hâtif, peu vraisemblable, taillé
sur mesure pour servir d'entrée en matière. La question réelle
qui est posée est abstraite: le roman et la philosophie nous offrent-
ils deux modes incompatibles de connaissance du monde? La
réponse, négative, est donnée d'emblée. Reste donc à examiner
la source du malentendu qui rend suspect de part et d'autre
le programme double de l'équipe des *Temps modernes*.

L'essai procède par définitions successives, réponses en apparence raisonnables à une série de questions ou d'objections pro-
posées par un adversaire et qu'il s'agit d'examiner objectivement.
Seulement les dés sont pipés. Questions et réponses sont, en
fait, un mode d'exposition, non de recherche, semblable au
catéchisme. Le point de vue existentialiste est affirmé à chaque
pas: «C'est au sein du monde que nous pensons le monde»;
«Dans le monde réel le sens d'un objet n'est pas un concept
saisissable par le pur entendement: c'est l'objet en tant qu'il
se dévoile à nous dans la relation globale que nous soutenons
avec lui et qui est action, émotion, relation...» et ainsi de suite
de page en page. C'est en termes existentialistes que Simone de
Beauvoir définit le roman, ce qui lui permet de conclure ensuite
que l'existentialisme est par excellence la philosophie la plus apte
à favoriser la création de grand romans.

La certitude de 1946 est restée sans corroboration. Les «grands romans» espérés n'ont pas fleuri. En cours de route, Simone de Beauvoir soulève nombre de questions, pas toutes cependant avec la même félicité. Certaines, qui concernent la «littérature d'idées», hâtivement posées, ne dépassent pas dans leur présentation la plus plate banalité. Comme le fait aussi parfois Sartre, l'essayiste ne s'embarrasse guère à imaginer un adversaire sérieux. La «sagesse des nations», le lieu commun, lui suffit. C'est ce qui lui permet par ailleurs d'atteindre son but : exposer, faire accepter un point de vue encore nouveau, dont l'efficacité lui apparaît avec toute l'évidence irréfutable de l'absolue vérité.

Comme Alain, c'est une méthode qu'elle nous propose mais avec l'armature logique que nous associons avec la présentation d'un système. C'est une méthode et un vocabulaire nouveaux que Simone de Beauvoir utilise non sans quelque confusion. Car, en somme, ce qui manque à cet essai, c'est ce qui se dégage si fortement des deux autres, la présence concrète d'un individu particulier, qui a une façon spéciale de «penser le monde.» Et le paradoxe est troublant qui fait que Simone de Beauvoir, philosophe et romancière, est comme absente de cet essai qui pose comme condition de toute pensée l'engagement de la «totalité» de la personne en face de la totalité du monde.

Il y a cependant, dans ce souci même de la «totalité», une préoccupation commune aux trois essayistes et caractéristique sans doute d'une tendance majeure de la pensée française au cours d'un demi-siècle. Elle se rattache sans doute triplement à Descartes, à Hegel, et à Bergson, en réaction contre certains aspects du positivisme où elle se trouve trop à l'étroit. L'essai bien davantage que l'exposé systématique, plus objectif et rigoureux, est un instrument souple qui se plie aux exigences d'une libre recherche basée sur l'expérience. Les trois écrivains ont conscience avant tout de la sujectivité immanente à tout effort de pensée.

Alain | *Introduction aux Dieux*

Un homme qui philosophait de la bonne manière, c'est-à-dire pour son propre salut, me vint conter un jour une vision qu'il avait eue, et qui, disait-il, lui expliquait une longue suite d'erreurs énormes, et qui sont peut-être toutes vraies. Il se trouvait donc en wagon, laissant errer ses yeux sur un paysage de collines, lorsqu'il vit sur une des pentes, et grimpant vers un village, un monstre à grosse tête, muni de puissantes ailes et qui se portait rapidement sur plusieurs paires de longues pattes; enfin de quoi effrayer. Ce n'était qu'une mouche sur la vitre. Ce court moment de l'erreur et de la croyance l'enchanta. La vérité, disait-il, nous trompe sur nous-mêmes; l'erreur nous instruit bien mieux. A son sens, toutes les visions de l'histoire pouvaient être comprises d'après cet exemple si simple, et par le bonheur d'avoir surpris notre connaissance en son premier état. Il allait vite; et au contraire je compte avancer avec une extrême lenteur dans mon redoutable sujet. Mais, parce que la méthode que je veux suivre ici est peu pratiquée, il n'est pas mauvais que j'anticipe un peu, et que je présente au lecteur, sous une forme d'abord abstraite, l'idée directrice de la présente recherche.

Nous connaissons souvent les choses à travers une vitre; et il n'est pas besoin de mouche. Par le moindre de mes mouvements, les inégalités de la vitre se promènent sur les choses comme des vagues, roulant et tordant les images; d'où je tire d'abord cet avertissement que nous voyons toujours à travers quelque vitre, et vitre mouvante. Mais laissant cette importante idée, d'après laquelle tant de déformations connues, et par exemple celle du bâton qui paraît brisé dans l'eau, sont vraies sans difficulté, je veux chercher où est ici l'imagination, ici, c'est-à-dire dans cette vitre qui déforme une chose et l'autre selon mon mouvement, et je trouve l'imagination dans ce mouvement même. Je comprends alors que je ne vois pas seulement toutes choses comme à travers une autre vitre qui serait moi-même, mais que, de plus, les divers mouvements que je fais, soit avec intention, si j'agis, soit par émotion, si j'ai peur, ou seulement par les transports continuels de respiration et de circulation qui assurent la vie, ne cessent jamais de déformer ce que je vois, ce que j'entends, ce que je goûte, ce que je flaire, ce que je touche. Je voudrais croire que, cette fois-ci, je tiens une erreur à proprement parler; et au fond c'est par des mouvements de lui-même tout à fait intempérants, que le fou arrive à ne plus savoir ni où il est, ni ce qu'il voit, ni ce qu'il fait. Il est assez clair que nous sommes tous un peu fous en ce sens-là, et que toute sagesse consiste à éliminer autant qu'on peut cette part de soi-même dans ce qu'on connaît. Qu'on y arrive, c'est ce que montre la suite des sciences; qu'on n'y arrive pas sans peine, c'est ce que fait comprendre cet ordre de l'abstrait au concret que nous sommes forcés de suivre; ce qui est prélever, dans la masse de notre continuel ébahissement, d'abord les nombres et les distances, et puis les mouvements, et puis les effets de choc et de rencontre, et puis les combinaisons intimes que l'on nomme chimiques, qui nous amènent, par un chemin pénible, à comprendre quelque chose des mouvements de la vie, jusqu'à nous conduire enfin à nos propres passions;

ce qui fait voir que la cause de nos erreurs n'avait été éliminée d'abord que provisoirement, et que les perturbations du sujet connaissant doivent finalement prendre place parmi les vérités positives. Nous en savons assez là-dessus pour affirmer que tout serait vrai, même les extravagances d'un fou, si nous savions tout. Spinoza dit qu'il n'y a rien de positif dans l'erreur, ce qui signifie qu'en Dieu[1] l'imagination de l'homme est toute vraie. Je désespère, pour ma part, de former jamais, à la manière de ce maître difficile à suivre, une intuition de cette sagesse des prophètes et vociférants, qui ne ferait qu'un avec la méditation du sage. Toutefois cette grande idée ne peut être écartée, quoique, à mon sens, il soit de sagesse d'en retarder l'avènement, ce qui est se promettre une doctrine de toutes les religions comme vraies, et en même temps l'ajourner autant qu'on pourra. Si je pouvais penser les dieux en dieu et comme dieu, tous les dieux seraient vrais; mais la condition humaine est d'interroger un dieu après l'autre et une apparence après l'autre, ou, pour mieux dire, une apparition après l'autre, toujours poursuivant le vrai de l'imagination, qui n'est pas la même chose que le vrai de l'apparence. Je perçois le bâton dans l'eau comme brisé, je me garde bien de le redresser; au contraire je mesure cette déformation, j'en tire des connaissances sur l'eau et la lumière. L'arc-en-ciel aussi n'est une vision que pour celui qui ne comprend pas, ici comme en d'autres cas, la réfraction des couleurs. Ces illusions sont non pas niées mais confirmées.

La difficulté est tout autre pour cette partie de nos visions qui résulte seulement des mouvements tumultueux du corps humain et des passions qui en résultent, comme la peur ou l'espérance. Car il y a bien toujours des déformations que l'on expliquera par la physique même. L'œil fatigué voit sa propre fatigue sous forme de taches volantes; l'oreille malade mêle à tous les bruits son propre bourdonnement; plus simplement en fermant mes oreilles avec mes doigts je fais un silence qui n'est pas vrai, mais qui pourtant est vrai. Il n'y a rien dans ces cas-là d'imaginaire. Et, comme je l'ai éprouvé en poursuivant l'étude des arts, l'imagination recule toujours et se dérobe. Il n'est pas vrai que la lune semble plus grosse à l'horizon qu'au zénith. Appliquez votre mesure ici comme vous avez fait au bâton brisé, vous trouverez quelque chose de neuf, quoique bien connu, et de trop peu considéré, c'est que l'apparence de la lune est la même dans les deux cas; vous croyez la voir plus grosse, vous ne la voyez pas plus grosse. Cet exemple, bien des fois considéré, me donna de grandes vues sur nos erreurs les plus étonnantes. Il me semblait que je tenais ici à la lettre mon Spinoza[2]; car cette erreur cette fois-ci n'est rien. Mais aussi il fallait donner congé à la physique[3], qui peut seulement me dire: «Ton erreur n'est pas où tu crois.» Remarquez que je pouvais m'en prendre au jugement; je suis bien loin de mépriser ce genre de recherches, qui est seulement fort difficile, et évidemment sans objet. Mais c'était manquer encore une fois l'imagination. Car il est clair que si je ne vois pas l'apparence de la lune plus grande à l'horizon qu'au zénith, du moins je crois la voir telle, et de tout mon cœur. Est-ce donc surprise, étonnement, peut-être frayeur, à rencontrer ce pâle visage parmi des toits et des cheminées? J'en suis persuadé. Qu'on me pardonne si je parcours longuement des exemples tout à fait ordinaires. Le sens de cette lune à l'horizon, que l'on croit voir plus grosse, et qu'on ne voit pas plus grosse, est quelque chose que je n'ai pu faire entendre encore à personne. Tous se rebutent, et quelques-uns s'irritent, peut-être par la perspective d'un grand changement en de grandes questions. J'ai maintenant tout le loisir désirable, et je compte aussi sur une foule d'autres raisons, bien plus accessibles, qui feront revenir plus d'un lecteur sur ce point de difficulté.

L'imagination est toute dans le corps humain, et consiste seulement dans les mouvements du corps humain. Tenant ferme ce principe, au moins comme instrument, je vins à considérer une autre vision qui n'est pas non plus vision, mais qui est bien plus émouvante que la lune à son lever. Le vertige nous envahit et presque nous précipite, en même temps que le précipice se creuse devant nos yeux. Mais il ne se creuse point; cela n'est pas. Les couleurs et les ombres ont toujours la même apparence; seulement nous nous sentons tomber, nous nous défendons, nous goûtons la peur; d'où cette apparence effrayante que prend le gouffre. Or cette apparence n'apparaît même pas; nous croyons qu'elle apparaît. A vrai dire, il faut faire longtemps attention aux perceptions de ce genre pour arriver à rapporter à des préparations musculaires et à des émotions vives ce que nous voudrions prendre pour un aspect visuel des choses. Le steréoscope en donne encore un bon exemple, mais qui n'instruira aussi que par réflexion; car chacun croit d'abord qu'il voit le relief; au lieu que c'est un certain signe dans les images colorées, et qui ne ressemble nullement à un relief, qui nous alarme un peu, et qui, par le départ et le recul de notre corps, nous rend sensible la distance à parcourir, ou le menaçant relief de certains objets. Je conclus, et certainement trop vite, que la lune à l'horizon ne nous semble apparaître si grosse que par un léger mouvement de crainte ou de surprise, lequel, comme on le mesure ici avec la dernière précision, ne change nullement l'image du monde telle qu'elle résulte des jeux de la lumière et de la structure des yeux.

Il en est de même lorsque nous arrivons par jeu à voir une tête de bœuf qui rumine, ou bien un visage d'homme, dans le feuillage d'un arbre, ou lorsque nous voulons reconnaître un profil dans les lézardes d'un mur; nous n'arrivons jamais à changer la moindre chose dans ce que nous voyons. Ce changement reste purement imaginaire, entendez par là qu'il est tout dans une attitude du corps et dans une sorte de mimique, par laquelle nous nous disposons comme nous serions devant un tel objet. Mais pour achever d'éclairer ici le lecteur, s'il vient à s'intéresser à des problemes qui sentent trop l'école[4], je lui conseille de méditer un peu de temps devant ce cube dont toutes les arêtes sont visibles, ou devant cet escalier, qui est dessiné dans tous les manuels, et que l'on peut percevoir à volonté par le dessous ou par le dessus, sans que les lignes tracées soient changées le moins du monde; d'où l'on comprendra que le changement que l'on éprouve alors n'est pas où on le cherche, mais plutôt dans une certaine manière d'user de l'objet auquel on pense, et qui se prépare dans notre corps, disposé autrement et remué d'autre manière. Et par cette méthode d'analyse, si bien séparée alors de nos drames réels, nous nous trouvons pourtant éclairés sur la nature des dieux. Car, ce qu'il importe de remarquer, nous comprenons que l'apparence du monde, même dans les plus vives émotions, est toujours la même et toute vraie. Par quoi nous formons, sans aucune complaisance à nous-mêmes, cette notion de l'invisible, qui est principale dans notre sujet, et sur laquelle je reviendrai plus d'une fois. Oui, nous cherchons notre propre émoi dans cette même image irréprochable où le physicien prendra ses mesures; nous demandons compte à cette image d'un intérêt démesuré, et cette image ne peut répondre. C'est de là que nous formons cette présence cachée et embusquée, et ce mystérieux envers de la chose qui nous fait croire que tout est plein d'âmes, ou, comme disait Thalès, que tout est plein de dieux. S'il l'a dit réellement, et comment il l'entendait, c'est une question que j'arrache à l'histoire, et que je veux poser pour chacun de nous et premièrement pour moi-même; car ces illusions que je disais[5] restent aussi puissantes, au détour, que le spectacle du monde reste pur et fidèle en son apparence comme il fut toujours. Le sauvage pense mal et vise juste; et ce contraste entre la perfection technique et la confusion des pensées doit nous conduire à écarter d'abord l'idée d'un monde trompeur, en suivant Descartes[6] certes, Descartes qui a pris le bon chemin, mais en serrant de plus près nos passions, toujours si éloquentes. Assurément nous avons plus d'une raison de considérer les choses comme nous ferions d'une société d'hommes à notre image et à l'image de nos compagnons. La religion sort de mille sources, et ces sources chanteront toujours. J'essaierai d'expliquer de plus d'une manière que le passé n'est pas loin, et que notre enfance recommence à chaque instant. Mais le meilleur texte est toujours l'expérience la plus ordinaire, qui nous répète, autant de fois que nous voulons, que nous nous trompons et que nous ne sommes pas trompés. Les dieux refusent de paraître; et c'est par ce miracle qui ne se fait jamais que la religion se développe en temples, en statues, et en sacrifices. Mais il me faut encore mettre en avant une autre idée, dont je ne développerai pas tous les replis[7]. Ces merveilles de la religion, qui n'apparaissent jamais, sont toutes racontées. Et sur ce sujet du langage, il s'en faut bien que tout soit dit. Quand nous parlons, soit par gestes, soit par signes, nous faisons un objet réel dans le monde; on voit le geste; on entend les mots et la chanson. Les arts ne sont qu'une écriture, qui, d'une manière ou d'une autre, fixe les mots ou les gestes, et donne corps à l'invisible. Ce n'est pas que ces nouveaux objets, poèmes ou temples, soient faits d'autre matière que le monde. Et sans doute faudra-t-il dire que cette ambiguïté du monde, qui n'est point du monde, est encore moins aisée à supposer dans les œuvres de l'art, dont le mouvement et les formes ont au contraire quelque chose de réglé et de fini qui nous détourne d'idolâtrie. Un temple grec n'a point de dedans; il annonce que son marbre n'est que du marbre; et la poésie elle-même, et surtout la musique, montrent par d'autres moyens ce même grain et ce même cristal homogène. Pur objet, et tout au-dehors; ce qui ne cesse pas de purifier nos passions; mais sans cesser aussi de les réveiller; comme si, dans ce cas remarquable, nous étions mis en demeure de revenir à nous. Et la légende, par cela seul qu'elle est invariable, soumet encore nos folles pensées à la règle de l'objet, c'est-à-dire à une sorte d'expérience. Mais, en revanche, par le retour d'une émotion mesurée et comme goûtée, l'invisible redouble de présence. Et parce que l'expérience est toute faite, nous perdons tous les moyens d'investigation, ou plutôt nous les exerçons à côté, comme ceux qui pieusement font l'inventaire des sculptures de Chartres[8], et découvrent l'agneau, le lion et l'aigle[9], ce qui laisse le croire en son premier état. En sorte qu'un nouveau temple pour un nouveau dieu chasse toujours quelque dieu sylvestre, mais fonde pour toujours une idolâtrie au second degré.

Chacun se croit capable de douter d'un récit. En réalité nous sommes fort mal placés pour douter d'un récit. Car l'objet même dont il s'agit est ce qui manque; et ainsi l'expérience, qui essaie, qui tourne autour, qui recommence, qui mesure, est alors impossible directement; mais c'est dire qu'elle est impossible. Et la critique des récits est une scolastique[10], toute fondée sur les notions ruineuses du possible et de l'impossible. On n'évitera pas, en ce genre de recherches, la ridicule idée d'un Renan, qui donne comme impossible qu'une jambe coupée repousse, alors que l'on sait qu'une patte d'écrevisse repousse. Et Hume se moque avec raison du roi de Siam qui croyait que la glace était une chose impossible, parce qu'il n'en avait jamais vu. Les antipodes aussi furent jugés impossibles. Et je ne cesserai jamais de reprendre, aussi bien pour moi-même, ces remarques assez piquantes, en vue de rappeler ce que tous disent et ce que peu savent réellement pour le gouvernement de leurs pensées, c'est que l'expérience sur la chose est ce qui décide de la chose, et seule décide. D'où l'on comprendra que l'émotion, qui toujours nous fait croire, ne trouve point dans le récit de quoi décroire. Un miracle raconté ne peut plus être constaté; c'est dire qu'il ne peut pas non plus être réellement nié. Et ici la sévère méthode de l'entendement conduit à un résultat qui étonne, et à une sévérité de critique à laquelle nous ne sommes pas assez formés. Car c'est perdre son temps que de nier un récit; et c'est même quelque chose de plus; c'est perdre son jugement par négligence; et c'est perdre certainement une occasion de s'instruire; comme on trouve dans Hérodote un récit de navigateurs qui voyaient, racontaient-ils, le soleil de l'autre côté, c'est-à-dire au nord; circonstance qui parut incroyable à beaucoup, mais qui devait faire preuve, au contraire, pour des hommes mieux instruits. Toutefois cette raison est petite, car il y aurait encore à dire sur un tel récit; et, même avec ce soleil au nord, il pourrait bien être encore un mensonge. Non, ce qu'il y a de mauvais à ne pas croire un récit qu'on juge absurde, c'est que l'on découvre alors une immense région de faiblesse, et une crédulité sans défense, puisque l'on s'engage à croire ce qui va de soi et ne fait point difficulté. Ce n'est pas ainsi que je conçois l'esprit libre. Et j'aimerais mieux, à la manière de Montaigne, croire tout ce qu'on raconte, et jusqu'aux moindres détails, mais sous réserve toujours, et gardant défiance égale, ou, si l'on veut, confiance égale, à l'incroyable et au croyable; c'est laisser le problème ouvert. Et ce développement succinct, qui mérite de grandes réflexions, éclaire de diverses manières mon grand sujet. Car, d'un côté, nous comprenons que les hommes croient plus aisément ce qu'on leur raconte que ce qu'ils voient. Mais, d'un autre côté, j'en tire[11] qu'il est plus sain de tout croire, ce qui est apprendre à croire, et ne jamais s'enfermer dans ce qu'on croit. Dès que l'on veut s'instruire sur la nature humaine, ce qu'on dit, absurde ou non, doit être premièrement laissé dans son état naïf, qui vaut cent fois mieux qu'un arrangement vraisemblable, dont vous ne tirerez que des lieux communs. Dont je donnerai, sachez-le bien, plus d'un exemple.

Mais ce n'est encore considérer que l'extérieur du langage. Le langage est une chose de nature, comme le foie et les reins. Rien ne me fera croire que le langage, soit parlé, soit mimé, ne révèle pas à sa manière la vérité de la structure humaine et de l'humaine situation. Toutefois, comme il n'est pas mauvais d'accorder avec la croyance cette partie de l'intelligence qui veut toujours douter, j'examinerai d'un peu plus près d'abord le langage du geste et toutes les écritures naturelles qui en sont la trace, et ensuite le cri modulé. Un homme qui se couche dans l'herbe y écrit sa forme, comme ferait un chien ou un lièvre; et puisque l'homme pense, et qu'il se roule selon ses pensées, je puis dire que l'homme écrit ses pensées dans son lit d'herbes. A vrai dire, il n'est pas facile de lire cette écriture; c'est pourquoi tous les arts plastiques font énigme. L'homme est lui-même une énigme en mouvement; aussi la question ne reste jamais posée; au lieu que le moule en creux, la trace d'un pied, et, par une suite naturelle, la statue elle-même, comme les voûtes, les arcs, les temples où l'homme inscrit son propre passage, restent immobiles et fixent un moment de l'homme; sur quoi l'on peut méditer sans fin; et tel est, à bien regarder, mon objet principal dans la présente recherche; car ces grandes écritures sont réellement des Dieux. Mais, ce qui est surtout à remarquer, c'est qu'il n'y a point de vraisemblance à supposer que ces caractères disent jamais autre chose que le vrai de l'homme, et par conséquent le vrai de l'histoire. Ce n'est pas que l'homme soit toujours divin dans son geste et dans son œuvre; et sans doute on y trouverait du mauvais comédien, ce que le fou met en grand relief. Mais aussi les œuvres, qui sont des empreintes, ne sont pas toutes l'objet d'une égale piété. Les puissantes œuvres, celles où l'on pressent quelque chose qui vaut la peine de deviner, sont aussi des centres de prière, de miracles, et de pèlerinage; c'est-à-dire que le fidèle, devant ces images de l'homme, se trouve remis en sa vraie condition, et réconcilié à lui-même, par une meilleure attitude. Aussi ces œuvres sont conservées. Mais de plus elles sont imitées, et d'autres artistes apprennent à parler ce grand langage comme il faut, c'est-à-dire à figurer la vérité humaine selon leurs propres moyens. Ils s'inspirent, comme on dit si bien, des œuvres belles; et le chef-d'œuvre en fait naître d'autres qui ne lui ressemblent point. C'est l'envie qui produit les plates copies; au contraire l'admiration conduit à faire œuvre de soi[12]. D'où l'on comprend que, la part faite aux erreurs de goût, qui se dénoncent d'elles-mêmes, l'histoire de l'art équivaut à une suite de vérités enveloppées; et c'est par là premièrement que l'humanité est quelque chose.

Il y a plus d'obscurité au sujet du langage parlé et chanté. On sait que ce ramage des hommes, sans cesser jamais d'exprimer le plus intime des passions et des sentiments, est par lui-même instable, et toujours plus ou moins secret, par une complicité naturelle des affections, des projets, et des commerces; et c'est par quoi les langues sont distinctes comme les nations; mais encore plus, l'expérience fait voir que le langage national se sépare aussi, par une coutume locale ou professionnelle d'abréger et d'accentuer; en sorte qu'il faut aller aux racines pour retrouver l'homme. On sait que les institutions ne cessent de s'opposer à ce changement, disons même à cet écroulement perpétuel des langues. Mais surtout les grandes œuvres, poèmes, discours, histoires, mémoires, traités, ramènent ceux qui ont des lettres à une manière d'écrire et par suite de parler, qui impose une audience[13] de cérémonie. C'est ainsi que le dialecte ionien a survécu par Homère; c'est ainsi que Montaigne, Sévigné, Voltaire, Montesquieu, et tant d'autres, ont conservé le beau langage, et nous sauvent à chaque instant de notre bégaiement propre et d'abord de notre gazouillement d'enfance, que nous imposons si naturellement à nos proches. Que cette puissance des œuvres dépende ici d'une vérité plus explicite, ou si l'on veut moins énigmatique, c'est ce qui est évident en Pascal comme en Montesquieu, en Stendhal comme en Balzac. Ainsi les manières de parler qui se conservent se trouvent marquées de vrai, et déjà propres à soutenir le raisonnement et la description, par la syntaxe et par le vocabulaire. Mais le beau n'y importe pas moins; on le sent dans la prose, toutefois sans se rendre compte aisément de cette autre vérité, implicite, et aussi inexprimable que la plastique, qui résulte des sonorités et des flexions. En revanche ces gestes du gosier et de tout le corps, autant qu'ils expriment l'équilibre humain et l'harmonie entre l'homme et les choses, sont presque tout dans la poésie, qui ne cesse pas de rajeunir des pensées trop connues par une manière toujours neuve d'y accorder l'attitude viscérale. Le beau, encore une fois, est un fidèle témoin du vrai, et qui anticipe sur le vrai. Ajoutons que la poésie, avant même l'écriture et la lecture, contribue puissamment à fixer le langage, et à redresser l'abréviation et l'accent local, par les règles du rythme et de la rime, que le récitant est naturellement amené à respecter et même à proclamer. Par ces causes la langue parlée elle-même devient un instrument à penser beaucoup plus précis qu'on ne voudrait croire. On sait que la plus rigoureuse logique n'est qu'un inventaire des liaisons qui font dépendre une manière de dire d'une autre. On sait moins que le vocabulaire enferme des trésors de pensée, et une sorte d'impossibilité de décrire mal pour celui qui connaît la langue des grandes œuvres. Auguste Comte en a donné plus d'un exemple, et je signalerai seulement, comme des articles du dictionnaire propres à orienter et régler la recherche, les mots cœur, peuple, méchant, nécessité, goût, grâce, repentir, parlement, constitution; mais je citerais tous les mots consacrés par l'usage; et en tous je trouverais une leçon de choses et un article d'humanité. Ce détail n'est pas nécessaire. Il suffit de rappeler que les œuvres du langage, et principalement celles qui furent l'objet d'un culte, enferment vraisemblablement quelque chose de plus que ce qu'elles semblent dire, et qu'elles sont autant énigmes, et non moins dignes d'être devinées, que les statues des dieux. On aperçoit assez maintenant une méthode que j'ose dire pieuse, et qui suppose vraies toutes les religions. Je vais ainsi droit contre Pascal, qui se plaît à dire que la seule religion qui ait réussi est celle qui va contre la nature et contre les preuves. Mais je surprends, dans cet auteur, ce que je soupçonne en beaucoup d'autres qui se disent fidèles, c'est qu'il n'arrive pas à croire; c'est qu'il était, je suppose, trop géomètre[14], ou, pour dire autrement, trop peu païen pour être chrétien.

NOTES

1. **en Dieu**   en ce qui concerne Dieu.
2. **je tenais... à la lettre mon Spinoza**   j'avais saisi l'essence même de la pensée de Spinoza.
3. **donner congé à la physique**   écarter la physique.
4. **qui sentent trop l'école**   qui semblent trop académiques.
5. **que je disais**   dont je parlais.
6. **un monde trompeur... suivant Descartes**   dans ses *Méditations métaphysiques* (1641), Descartes émet l'hypothèse qu'il réfute que Dieu pourrait être un génie malin et le monde extérieur une illusion.
7. **tous les replis**   tous les aspects multiples et compliqués.
8. **Chartres**   *v.* Cendrars, p. 88, note 22.
9. **l'agneau, le lion et l'aigle**   trois des symboles chrétiens tradition-

nels qui ornaient souvent la cathédrale gothique et qui signifient respectivement Jésus, saint Marc et saint Jean.

10. **une scolastique**   méthode de l'enseignement philosophique propre au Moyen Âge et qui repose sur la dialectique et sur l'étude des universaux.

11. **j'en tire**   je conclus.

12. **faire œuvre de soi**   faire une œuvre originale.

13. **audience**   attention donnée à celui qui parle ou qui écrit.

14. **trop géomètre**   Pascal distinguait dans ses *Pensées* entre «l'esprit de finesse», plus subtil et intuitif, et «l'esprit de géométrie», plus analytique.

Péguy | De la situation faite à l'histoire et à la sociologie dans les temps modernes

Je me propose de rechercher jusqu'à un certain point quelle est la situation faite à l'histoire et à la sociologie[1] dans les temps modernes. C'est une recherche extrêmement difficile et qui n'a pas été communément tentée, peut-être parce qu'elle était particulièrement difficile.

C'est donc une recherche pour laquelle nous ne recevrons sans doute aucun secours, et pour laquelle particulièrement nous ne pouvons attendre aucun secours ni des historiens, ni, encore moins, des sociologues professionnels.

C'est une recherche enfin qui serait infinie si on avait la présomption de se proposer de la poursuivre pour ainsi dire dans toute sa largeur, de la conduire sur tout son front[2], car alors elle n'exigerait pas moins que de ramasser en passant tout le monde, comme en Beauce[3] on voit ces couples attelés et ces équipes de moissonneuses-lieuses mécaniques sur un même front de biais s'avancer au pas des chevaux, moissonnant, ramassant et liant tout le vaste monde sur une grande largeur et jusque sur toute la largeur d'un champ de blé. Plus faibles moissonneurs, moins mécaniques aussi, et d'un monde plus rebelle, et infiniment fort, et infiniment grand, nous serons contraints de procéder par les très sèches méthodes linéaires, et non point par les méthodes volumineuses ni superficielles même; nous serons contraints de suivre comme un fil; nous serons contraints de procéder par approchements et par approfondissements successifs, — ce qui ne veut point dire du tout par successives approximations, — par sondages que nous pousserons aussi loin que nous le pourrons, par cheminements, par galeries de mine, et par tous les moyens de la sape.

Nous ne nous avancerons point de front, ni sur aucune largeur; mais nous cheminerons par file; et nous aurons à nous défiler[4] souvent.

Nous aurons ainsi à faire un emploi particulièrement fructueux, et d'ailleurs particulièrement inévitable ici, de la méthode des cas rares, des cas uniques, des cas éminents ou de représentation, des cas extrêmes, des cas suprêmes, plus particulièrement et proprement des cas limites.

Ainsi linéaires, ainsi acheminées, nos recherches seront perpétuellement des recherches doubles, parce que nous aurons séparément à chercher quelle est la situation faite à l'histoire dans les temps modernes, et quelle est la situation faite à la sociologie dans ces mêmes temps; l'histoire et la prétendue sociologie soutiennent en effet une relation telle que l'histoire forme un système de connaissance du premier degré ou degré de base et que la sociologie formerait un système de connaissance du deuxième degré, d'un deuxième degré ou degré qui reposerait sur le premier degré ou degré de base.

L'histoire et la prétendue sociologie soutiennent une relation telle que l'histoire forme tout un premier système de connaissance, ou système de base, et que la prétendue sociologie, formerait au-dessus un deuxième système de connaissance, un système supérieur, et qui reposerait sur le premier.

Il en résulte que l'histoire et la prétendue sociologie, considérées comme instituant deux systèmes superposés de connaissance, et deux systèmes en un sens indépendants l'un de l'autre, soutiennent une relation telle que tout ce qui est gagné de certitude pour l'histoire n'est point gagné pour cela par la dite sociologie et au contraire que tout ce qui est perdu de certitude pour l'histoire est perdu automatiquement aussi pour la même sociologie. La sociologie est une histoire prétendue réformée. Partout où l'histoire est incertaine, automatiquement et de la même incertitude la sociologie est incertaine. Partout où l'histoire est certaine, il ne s'ensuit pas automatiquement que la sociologie soit certaine, mais il faut encore et toujours qu'elle fasse sa preuve. Il faut qu'elle apporte toujours une preuve à elle. Elle ne peut pas partager comme un pain la preuve de l'histoire.

Si je ne connais pas avec certitude un événement, il suit automatiquement que je ne puis pas même imaginer avec certitude une loi dont cet événement soit la matière; si je crois que je connais avec certitude un événement, il ne suit pas automatiquement, il reste à prouver que je puisse imaginer même avec certitude une loi dont cet événement soit la matière.

Si je ne connais pas avec certitude un événement du temps de Charlemagne, ou, comme le disaient ces soldats facétieux, un homme, *un type dans le genre de Charlemagne*[5]; il suit automatiquement que je ne puis pas même imaginer avec certitude une loi qui recouvre pour ainsi dire cet événement, dont cet événement serait la matière; un tissu dont il serait le fil, un vêtement dont il serait l'étoffe; si je crois que je connais avec certitude un événement du temps de Charlemagne, il ne suit pas automatiquement, il reste à prouver que je puisse imaginer même avec certitude une loi qui recouvre cet événement, dont cet événement soit la matière.

Ainsi en ce qui concerne la certitude l'histoire est indépendante de la sociologie et la sociologie est indépendante de l'histoire;

chacune des deux n'a que sa certitude à soi, s'il y en a; en ce qui au contraire concerne l'incertitude, l'histoire est indépendante de la sociologie, mais la sociologie est depéndante de l'histoire. L'histoire a de l'incertitude et n'a point de certitude pour la sociologie.

En ce qui concerne la certitude et l'incertitude, l'histoire est également indépendante de la sociologie; en ce qui concerne la certitude, la sociologie est encore indépendante de l'histoire; mais en ce qui concerne l'incertitude cette indépendance cesse de fonctionner: la sociologie devient dépendante de l'histoire.

En ce qui concerne la certitude, la sociologie est indépendante de l'histoire en ce sens que la certitude ne remonte pas de l'histoire à la sociologie; en ce qui concerne l'incertitude, la sociologie est dépendante de l'histoire, en ce sens que toute incertitude remonte de l'histoire à la sociologie.

Dans le sens de la montée, la dépendance ne joue qu'une fois sur deux, et l'indépendance une fois, l'autre fois; il y a montée automatique d'incertitude; il ne peut jamais y avoir, il n'y a jamais montée automatique de certitude.

L'histoire ne gage pas la sociologie.

L'autre question, de savoir si réciproquement la sociologie gage l'histoire, si de la certitude ou de l'incertitude redescend ou descend de la sociologie sur l'histoire, cette question réciproque est à réserver jusqu'à plus ample étude; il nous suffit en effet de savoir, d'avoir obtenu que la sociologie n'est point soudée à l'histoire et ne partage pas automatiquement son sort pour savoir que nous aurons à poursuivre sur deux files nos recherches linéaires.

C'est ici déjà une question de nécessaire et de suffisant; il est nécessaire que l'histoire soit certaine pour que la sociologie soit certaine, et il n'est pas nécessaire que l'histoire soit incertaine pour que la sociologie soit incertaine; il suffit que l'histoire soit incertaine pour que la sociologie soit incertaine, et il ne suffit pas que l'histoire soit certaine pour que la sociologie soit certaine.

Tout ce qui est gagné par l'histoire n'est gagné que pour

l'histoire, et tout ce qui est perdu par l'histoire est perdu tout à la fois pour l'histoire et pour la sociologie.

Toute preuve de certitude administrée pour l'histoire n'est valable que pour l'histoire, et tout est à recommencer pour la sociologie superposée; toute preuve d'incertitude au contraire administrée contre l'histoire est automatiquement valable et rien n'est plus à recommencer contre la sociologie superposée.

Par un effet de ce mécanisme même et de ce jeu, toute recherche poursuivie sur l'histoire et sur la sociologie doit se poursuivre séparément sur l'histoire et séparément sur la sociologie, et elle doit commencer par l'histoire, et n'entreprendre la sociologie que quand elle a épuisé ce qu'elle a pu obtenir de l'histoire. Comme il y a deux étages de difficultés, il doit y avoir aussi deux étages d'études.

Dans un précédent travail, intitulé *Zangwill*[6], auquel il est permis de ne pas se reporter, je m'étais efforcé de ne point perdre pied partant de deux illustres exemples, et j'avais été conduit à rechercher quelle est la situation faite à l'histoire dans les temps modernes en partant de Taine et de Renan; ces deux grands maîtres nous avaient été, peut-être involontairement, de quelque secours; parce qu'ils nous avaient été de quelque utilité; mais ce serait se ménager les déceptions les plus graves que de s'imaginer qu'en général on recevra des historiens beaucoup de secours dans cette recherche.

J'entends des historiens qualifiés ou professionnels.

Et c'est peut-être parce que Taine et Renan n'étaient pas autant qu'on le[7] croit, autant qu'eux-mêmes le croyaient, aussi proprement, aussi purement, aussi seulement des historiens qualifiés et professionnels qu'ils nous furent alors de quelque secours, nous étant de quelque utilité.

Mais les vrais historiens qualifiés; les vrais historiens professionnels vraiment?

L'immense majorité des historiens se recrutent aujourd'hui dans les fonctions de l'enseignement; et comme il n'y a rien de si contraire aux fonctions de la science que les fonctions de l'enseignement, puisque les fonctions de la science requièrent une perpétuelle inquiétude, et que les fonctions de l'enseignement au contraire exigent imperturbablement une assurance admirable, il n'est pas étonnant que tant de professeurs d'histoire n'aient[8] point accoutumé de méditer sur les limites et sur les conditions de la science historique.

C'est à peine s'ils font de l'histoire, s'ils peuvent en faire, s'ils sont outillés, situés pour en faire; ne leur demandons point de faire de la critique, de la philosophie, de la métaphysique. Tenons-nous-en à l'histoire.

Ceux qui appartiennent à l'enseignement primaire sont officiellement chargés, sous le gouvernement des préfets, leurs supérieurs hiérarchiques, d'enseigner au peuple une histoire gratuite, laïque et obligatoire; sous le gouvernement de la République ils sont tenus d'enseigner au peuple une histoire de défense républicaine; sous un gouvernement réactionnaire ils seraient contraints, plus brutalement encore, d'enseigner au peuple une histoire de défense réactionnaire. Et quand même ils auraient la liberté politique et sociale d'enseigner une histoire simplement historique, il n'est point prouvé que, sauf de rares et très honorables exceptions, ils en auraient le goût; l'autre liberté, la plus importante, la liberté intérieure, la liberté de l'esprit; l'enseignement primaire demande une telle force d'affirmation, ne fût-ce que pour maintenir parmi les élèves la plus élémentaire discipline et la science historique demande au contraire une telle force d'hésitation permanente qu'il faudrait un perpétuel miracle pour que le même esprit pût tenir à la fois ces deux attitudes.

Contrairement à ce que l'on croit généralement, c'est dans l'enseignement secondaire, et non pas dans l'enseignement supérieur, qu'il y a aujourd'hui, et les meilleurs historiens, et le plus de bons historiens. Si balancés que soient les secondaires entre les forces du primaire, qui les attirent par en bas, et les forces du supérieur, qui les attirent par en haut, entre la force d'affirmation du primaire et la force d'hésitation du supérieur, ils n'en tiennent pas moins un équilibre unique, par cela seul qu'ils mènent une vie modeste, pauvre, et qu'ils sont restés en un contact permanent avec les réalités de la vie départementale. Cette classe moyenne fait la force de la nation des historiens. C'est parmi eux que l'on trouve le plus d'historiens véritables, c'est-à-dire d'hommes qui recherchent passionnément la vérité des événements passés, particulièrement des événements humains, et qui le plus ordinairement la trouvent, dans la mesure où nous verrons qu'il est possible de la trouver.

Quand un jeune homme ou quand un homme de quelque maturité dispute, arrache aux fatigues et aux tares professionnelles un temps, un esprit qu'ensuite il reporte tout entier aux travaux de la recherche historique, on peut être assuré qu'il fait de l'histoire pour faire de l'histoire, et non point pour avoir de l'avancement dans les fonctions de l'enseignement de l'histoire. Nous n'avons aucune sécurité au contraire avec ces jeunes gens qui se faufilent directement dans l'enseignement supérieur de l'histoire, évitant soigneusement tout contact avec les désagréables réalités.

Réalités de tous ordres et surtout réalités économiques et budgétaires. Difficultés budgétaires du simple père de famille moyen français.

C'est ici une des erreurs capitales des temps modernes dans l'organisation du travail historique; on attribue aux méthodes et aux instruments, — qui ont leur importance, une certaine importance, mais une importance toute méthodique et instrumentale, — une importance capitale, et si parfaitement totale qu'elles doivent suppléer à tout. On obtient ainsi, et on lance dans la circulation de l'enseignement supérieur ces artificiels petits jeunes gens maigres, qui possèdent plus ou moins approximativement les instruments et les méthodes, mais qui ne possèdent aucun contenu. Comme si l'ignorance du présent était une condition indispensable pour accéder à la connaissance du passé. Je dis maigres pour que l'on ne puisse même pas me soupçonner de penser à notre bon camarade M. Thomas[9]. Qui est, à ce que l'on m'assure, un agrégé d'histoire.

C'est pourtant cette ignorance qui paraît le plus communément requise par le gouvernement de l'État pour le choix des fonctionnaires qu'il nomme et qu'il prépose à l'enseignement d'État d'une histoire d'État.

Combien plus intéressants, et combien plus utiles, généralement et encore beaucoup plus pour ce que nous voulons faire, ces jeunes professeurs des lycées et des collèges qui osant aller travailler dans les provinces, et abordant la vie de front, commencent par savoir d'une incommunicable expérience personnelle, — d'homme et de citoyen, — ce que sont les réalités de la famille et de la cité, commencent par savoir de cette expérience présente ce que c'est que le présent, avant de remonter, ainsi éclairés, à quelque étude, à quelque recherche, à quelque essai de connaissance et ainsi, eux seuls, à quelque connaissance du passé. Ces hommes, et non d'autres, sont vraiment les véritables réserves de la science, du travail historique, ces hommes et non point ceux qui se poussent de séminaire en séminaire. Ceux-ci, qui sont près de nous, et non point les autres, sont les ressources véritables et autochtones, et qui jaillissent du sol, et quand on voudra quelque peu ranimer un enseignement supérieur devenu languissant, et un travail scientifique devenu languissant, c'est d'abord et surtout à l'enseignement secondaire, conclusion paradoxale, qu'il faudra que l'on redonne de la vie; mais il ne demande que cela; quand on voudra récolter des moissons de science un peu moins cinéraires[10], c'est au personnel actuel de l'enseignement secondaire qu'il faudra les demander. Ce n'est point en multipliant les internats, les instituts, les serres et les vases clos qu'on les obtiendra jamais: c'est en donnant honnêtement les moyens de vivre en travaillant à ceux qui se sont mis dans les conditions de la vie. Un État qui serait vraiment soucieux de régénérer le travail scientifique n'aurait ni à imaginer ni à multiplier des instruments d'État. Il n'aurait qu'à donner les moyens de vivre et de travailler au personnel tout existant, tout dévoué de notre actuel enseignement secondaire. Quand dans les conditions actuelles de leur existence on voit ces professeurs abattre un travail scientifique si considérable encore, on admire leur énergie, on s'étonne, on admire leur puissance, et l'on est assuré au moins qu'ils ne font pas de l'histoire pour avancer d'autant sur le chemin de la fortune. Il n'y aurait qu'à leur donner les moyens de vivre et de travailler, ne pas les écraser sous des tâches absurdes, sous des charges sociales et professionnelles écrasantes, les soustraire à toutes les servitudes politiques et sociales, — aux pires de toutes, aux servitudes locales, — et aux servitudes et aux soucis de la misère, en les payant assez. Ne pas ajouter l'imbécillité d'administrations qui les surveillent, — au lieu de les administrer, — en surcharge à l'imbécillité lourde des parents politiciens. Leur donner, à eux et non pas à d'autres, quelques instruments, des laboratoires, des bibliothèques. Du loisir, de la tranquillité, du repos. Leur donner la divine paix de l'esprit. Autant qu'on peut l'avoir dans une vie ordinaire. Pour moi, au commencement de cette longue recherche, où nous ne sommes pas sûrs de toujours nous retrouver, je tiens à déclarer combien de renseignements et d'enseignements, quel secours j'ai reçus de cet admirable personnel, généralement sous forme de confidences, quelque fois de confessions, rarement ou jamais sous forme de déclarations écrites, car ils ont femme et enfants.

Ceux-là, quand ils font de l'histoire, savent ce que c'est que l'histoire, et ce que c'est que de faire de l'histoire. Justement parce qu'ils en font passionnément, justement parce qu'ils sont désintéressés, ils en font en connaissance de cause. Justement aussi parce que dans la réalité présente ils ont opéré, ils opèrent continuellement la seule saisie de la réalité qu'il ait été donné à l'homme de recevoir. Ils font de l'histoire comme d'un beau et honnête métier. Quand ils font de l'histoire, ils savent, ils sentent

profondément quelles sont les conditions et quelles sont les
limites, ils savent ce que l'on peut et ce que l'on ne peut pas,
ce que l'on obtient et ce que l'on n'obtient pas, ce que l'on
n'obtiendra jamais, et s'ils ne l'écrivent pour ainsi dire jamais
non plus, c'est que sous la domination de la science historienne[11],
rien ne serait aussi dangereux qu'une insubordination. Une
hérésie, on saurait bien l'empêcher de durer. Quant à la sociologie, dans l'état actuel de nos connaissances universitaires, un
auteur, un professeur qui voudrait soulever le joug, secouer seulement la tête, serait un homme qui aurait la manie du suicide.

C'est une erreur capitale des temps modernes dans l'organisation du travail historique et dans l'estimation des historiens que
de croire que les instruments et que les méthodes sont tout et
de s'imaginer que la probité ne serait rien; c'est la probité au
contraire qui est centrale; un homme qui a de la probité,
manquant d'instruments, a beaucoup plus de chances d'avoir
accès à quelque vérité qu'un homme qui n'a que des instruments,
manquant de probité.

De très grandes découvertes scientifiques, les plus grandes
peut-être, au moins jusqu'ici, ont été faites avec des instruments qui aujourd'hui nous paraissent grossiers. De grandes
découvertes historiques aussi ont été faites avec des instruments
relativement grossiers.

A quel point tous les instruments du monde, modernes et tous
les appareils, quand la probité est nulle, ne servent plus de rien,
ne servent pas de rien, comme disait le vieux, à quel point en un
mot, — en un mot d'un autre vieux, d'un plus vieux encore, —
science sans conscience est la ruine de l'âme, on l'a vu assez,
récemment, par le scandale, d'ailleurs parfaitement inutile, pro-
voqué par cet imposteur de Mathieu, ou Matthieu[12], un des plus
grands imposteurs que la terre ait jamais porté. Je parle naturellement du Mathieu qui n'est ni évêque ou archevêque, au moins

dans l'Église romaine apostolique, ni cardinal, ni membre de l'Académie française.

L'État au contraire se fait comme un jeu cruel, — comme tous ces jeux d'État, — d'estimer tous ses fonctionnaires, et particulièrement ses fonctionnaires professeurs, en raison inverse de ce qu'ils valent, exactement en raison inverse du sens qu'ils peuvent avoir de la réalité. Il se méfie de tout homme, et plus encore d'un fonctionnaire, qui a quelque sens de la réalité. Et les professeurs. Pensez donc: s'ils allaient enseigner quelque atome de réalité, transmettre quelque atome de sens de la réalité. A leurs élèves. Il n'y aurait plus de gouvernement. Il sent bien qu'il y a là un ennemi, et l'ennemi le plus redoutable. Toute bureaucratie, russe[13], a en horreur et tient en persécution ce sentiment, ce sens ennemi de la réalité.

Nous n'aurons pas moins de secours de ces quelques personnes qui, préparées pour entrer dans l'enseignement, nommément dans l'enseignement universitaire, sont sorties d'y entrer pour instituer, à leurs frais, risques et périls, et à ceux de leurs amis, en dehors de l'État, de libres instruments de haute culture, de travail scientifique et d'enseignement extérieur. Nous savons en effet par l'histoire des arts, de la philosophie, des sciences, que la plupart des progrès obtenus en arts, en philosophie, en sciences même, ont été amorcés et souvent même effectués par des personnes qui n'étaient pas de l'école ou qui du moins, sorties de l'école, n'opéraient pas dans l'école.

Loin de nous être d'aucun secours, nous ne trouverons qu'hostilité chez ces professionnels de l'enseignement supérieur, je veux dire chez ces jeunes gens qui ne se sont jamais proposé comme fin première de l'homme que de passer directement dans l'enseignement supérieur. L'État est merveilleusement organisé pour eux. Merveilleusement outillé. Des chambres de chauffe régulièrement aménagées, juxtaposées bout à bout, avec des joints

hermétiques, une succession de bourses communales, départe-
mentales, nationales, publiques, privées, internationales, une
tuyauterie[14] soignée de maisons et d'écoles, jusqu'aux tièdes
sinécures des secrétariats et des bibliothèques, les conduisent, les
font arriver jusqu'à l'enseignement de l'histoire universelle sans
jamais avoir éprouvé les courants d'air de la vie.

Ce sont enfin les filiformes[15].

Nous obtiendrons au contraire un secours paternel et particulièrement précieux de ces anciens universitaires qui ayant passé
un long temps dans les devoirs et dans les modestes opérations de
l'enseignement secondaire sont parvenus par le jeu naturel de
l'avancement, d'un lent et modeste et honnête avancement, aux
loisirs et aux travaux de l'enseignement supérieur. Le seul fait
qu'ils aient surmonté les fatigues et les déceptions de l'enseignement secondaire, qu'ils n'y aient point laissé tout ressort et toute
activité, montre assez quelle est leur puissance. Cette puissance
est l'effet et comme l'œuvre d'une véritable survivance. Par cette
expérience personnelle de l'enseignement secondaire, ils ont une
fois pour toutes acquis une connaissance personnelle de la réalité
immédiate et de la vie qui leur permet de se livrer fructueuse-
ment ensuite, et en connaissance de cause, aux travaux de la
recherche désintéressée. Leur expérience a je ne sais quelle bonté
calme, elle reçoit, elle donne, elle communique je ne sais quel
avertissement perpétuel que l'érudition peut nourrir mais qu'elle
ne remplacera jamais.

Que telle soit l'organisation ou plutôt le commandement de
l'État dans l'enseignement de l'histoire, c'est d'ailleurs ce que
nous aurons à examiner de très près quand au courant de ces
études, et assez près de leur achèvement, nous en viendrons à
explorer quelle est la situation faite, entre autres parties du
monde, à l'histoire et à la sociologie dans l'État moderne. Et c'est
alors que nous retrouverons les filiformes. Et nous verrons un
peu en détail comme ils sont parfaitement organisés en un parti
de gouvernement. En un parti politique de gouvernement.

Plus haut et en dernière analyse, en dernier appel et en dernier degré de juridiction, receverons-nous du secours des historiens professionnels eux-mêmes, des auteurs d'histoires, des auteurs d'œuvres, des auteurs de leçons et de travaux publiés, des auteurs de contributions, comme ils disent, enfin des maîtres de l'histoire. Il faut ici, et avant toute enquête, éliminer les maniaques de l'érudition. Les maniaques de l'érudition, comme tels, ont été réglés définitivement par La Bruyère, et, naturellement aussi, ce règlement n'a servi à rien.

Ces sortes de règlements n'ont jamais servi à rien. «*Herma-goras», de la société et de la conversation*, LXXIV, *Hermagoras*, dit la Bruyère, «ne sait pas qui est roi de Hongrie; il s'étonne de n'entendre faire aucune mention du roi de Bohême: ne lui parlez pas des guerres de Flandre et de Hollande, dispensez-le du moins de vous répondre; il confond les temps, il ignore quand elles ont commencé, quand elles ont fini; combats, sièges, tout lui est nouveau. Mais il est instruit de la guerre des Géants[16], il en raconte le progrès et les moindres détails; rien ne lui est échappé: il débrouille de même l'horrible chaos des deux empires, le Babylonien et l'Assyrien; il connaît à fond les Égyptiens et leurs dynasties. Il n'a jamais vu Versailles; il ne le verra point: il a presque vu la tour de Babel; il en compte les degrés; il sait combien d'architectes ont présidé à cet ouvrage; il sait le nom des architectes. Dirai-je qu'il croit Henri IV (Henri le Grand) fils de Henri III?[17] Il néglige du moins de rien connaître aux maisons de France, d'Autriche et de Bavière: quelles minuties! dit-il, pendant qu'il récite de mémoire toute une liste des rois des Mèdes ou de Babylone[18], et que les noms d'Aprunal, d'Hérige-bal, de Noesnemordach, de Mardokempad, lui sont aussi familiers qu'à nous ceux de VALOIS et de BOURBON[19]. Il demande si l'empereur a jamais été marié; mais personne ne lui apprendra que Ninus a eu deux femmes. On lui dit que le roi jouit d'une santé parfaite; et il se souvient que Thetmosis, un roi d'Égypte, était valétudinaire, et qu'il tenait cette complexion de son aïeul Alipharmutosis. Que ne sait-il point? quelle chose lui est cachée de la vénérable antiquité? Il vous dira que Sémiramis, ou, selon quelques-uns, Sérimaris, parlait comme son fils Nynias; qu'on ne les distinguait pas à la parole: si c'était parce que la mère avait une voix mâle comme son fils, ou le fils une voix efféminée comme sa mère, qu'il n'ose pas le décider. Il vous révélera que Nembrot était gaucher, et Sésostris ambidextre; que c'est une erreur de s'imaginer qu'un Artaxerxe ait été appelé Longuemain, parce que les bras lui tombaient jusqu'aux genoux, et non à cause qu'il avait une main plus longue que l'autre; et il ajoute qu'il y a des auteurs graves qui affirment que c'était la droite; qu'il croit néanmoins être bien fondé à soutenir que c'est la gauche.»

Hermagoras n'est point seulement un maniaque, et il n'est point seulement ce qui est beaucoup plus, un *caractère* de la Bruyère; c'est un don des grands siècles, et des siècles sérieux, et notamment ce fut un don de notre dix-septième siècle, entre tous, que de ne pouvoir se tenir d'indiquer au moins dans leurs œuvres les problèmes qui se présenteront plus tard dans les sujets qu'ils traitent. Et même dans ceux qu'ils ne *traitent* pas. Hermagoras, une fois marqué, ne cessera plus de nous accompagner sur le chemin de nos recherches. Il sera notre héros. Grotesque ou héroïque, selon les jours, grotesque et héroïque, comme tous les héros. C'est de lui même que nous aurons généralement à nous occuper. Mais il ne s'agira plus seulement de savoir s'il est grotesque et s'il fait un *caractère*, de savoir les dynasties babyloniennes et de ne pas savoir les dynasties impériales allemandes contemporaines, ou royales françaises. Il s'agira de se demander si Hermagoras connaît et peut connaître les dynasties babyloniennes, et surtout il s'agira de se demander dans quel sens et dans quelle mesure il peut connaître les dynasties allemandes et françaises. Dans quel sens et dans quelle mesure nous-mêmes pouvons dire que nous les connaissons.

De cette étude, intitulée *Zangwill*, où pour partir nous nous étions éclairés de Renan et de Taine, et dont les résultats n'ont jamais été sérieusement contestés, il résultait jusqu'à l'évidence que l'arrière-pensée de l'histoire moderne était d'épuiser le détail infini de l'événement proposé. A ce résultat nous avait conduits une analyse un peu poussée de cette méthode si singulière des inépuisables circumnavigations de Taine. A ce résultat nous avaient conduits beaucoup moins les procédés que certains aveux de Renan.

De tous les historiens modernes Renan était éminemment désigné pour apercevoir les immenses difficultés ou impossibilités métaphysiques ou physiques, humaines ou naturelles qui s'opposent à la constitution d'une science historique, moderne, ainsi entendue. Il n'était point de ces historiens qui ne méditent pas. On pourrait presque dire au contraire que la méditation était son état naturel, et en outre son état de prédilection. Qu'elle faisait le fond de sa nature et de sa vie mentale et sentimentale. Il était breton[20]. Il avait été catholique. Il était de race catholique. Il était demeuré catholique et généralement chrétien un peu plus qu'il ne le croyait, beaucoup plus qu'il ne le disait, encore plus qu'il ne le laissait entendre, infiniment plus qu'on ne nous l'a dit depuis. Il était un homme de méditation. Il avait fait un assez long apprentissage de la vie sacerdotale. Or il n'était point homme à oublier un apprentissage. Il était au fond, et sous certaines apparences de gaieté, un homme de tristesse, de la salubre et toute salutaire tristesse. Toutes ces apparences de gaieté n'étaient pour sa tristesse que des revêtements de pudeur. Quelquefois presque impudiques. A défaut du *don des larmes*, il garda profondément, sous toutes les apparences, à travers tant d'insincérités, on oserait presque dire à travers toutes les insincérités, sous toutes les mondanités, il garda éternellement ce don originel et métaphysique de tristesse; une longue expérience, une expérience personnelle de la vie religieuse l'avait introduit irrévocablement à la méditation métaphysique; un souci perpétuel de n'être pas ridicule, même auprès de soi-même, et pour cela de n'être pas dupe, même de soi-même, remplaçait presque avantageusement chez lui un certain amour de la vérité. Qu'il y a chez beaucoup d'autres, moins innocents. Par toutes ces voies il était conduit à méditer, sous ses occupations journalières, de l'objet même de ces occupations. Il n'était point étranger à toute métaphysique. Il entendait ce que c'était. Il était fort loin d'en ignorer. Il en avait besoin.

Les autres historiens font ordinairement de l'histoire sans méditer sur les limites et sur les conditions de l'histoire. Sans doute ils ont raison. Il vaut mieux que chacun fasse son métier. Il y aurait beaucoup de temps perdu dans le monde si tout le monde faisait de la métaphysique, et Descartes lui-même ne voulait que l'on en fît que quelques heures par an; d'une manière générale il vaut mieux qu'un historien commence par faire de l'histoire, sans en chercher aussi long. Autrement il n'y aurait jamais rien de fait. Il en va de l'histoire comme de toutes les autres occupations humaines. Un mathématicien qui resterait fasciné toute sa vie sur le postulat d'Euclide[21] et sur les autres postulats et définitions mathématiques ne ferait peut-être pas avancer beaucoup les mathématiques elles-mêmes, les sciences mathématiques. Et peut-être en outre et en face, pour se rattraper, ne ferait-il pas avancer beaucoup la métaphysique non plus, s'il n'était point métaphysicien bien doué, s'il n'était pas né philosophe. Un historien qui resterait fixé sur une méditation de la situation faite à l'histoire ne ferait pas avancer beaucoup cette histoire. Et non plus la métaphysique, s'il n'était point doué, né philosophe et métaphysicien. Ils seraient deux hommes en arrêt, et non des hommes qui travailleraient. Dans toutes les occupations humaines la division du travail se fait normalement ainsi: se situant également et ensemble au lieu[22] des postulats, principes, définitions, conditions et limites, et des situations faites, le savant et l'artiste, s'accordant très libéralement tout cela, qui est demandé, considérant tout cela comme allant de soi, comme vu et entendu, partant de ce point précis redescendent incontinent le cours de leurs sciences respectives et de leurs arts. Mais se situant également et ensemble avec eux à ce même point précis, à ce point de difficulté, le philosophe s'y assied, et il n'en veut plus démarrer avant que d'avoir éclairci ces difficultés, qui sont généralement inéclaircissables. De là vient sa dignité, son prix, singulier, sa grandeur et sa lamentable misère. De là vient que les autres le méprisent et le redoutent, et quelquefois le haïssent, haussent les épaules, mais quelquefois baissent les yeux. Et il en a pour sa vie entière, qui est une pauvre vie d'homme, comme les autres, et il n'arrivera jamais au bout, car il y en aurait pour plusieurs vies; et nul homme n'arrivera jamais au bout, car il y en aurait pour une éternité. Car au delà des difficultés il y a les impossibilités, et les contrariétés insurmontables. Les autres sont des hommes de facilités, de possibilités et de dérivation. Il est un homme de difficultés, d'impossibilités, d'inhibitions, un homme d'arrêt. Un homme impopulaire et désagréable. Un raté en un certain sens, et presque par définition, puisque ce qu'il veut faire, c'est ce que l'on ne fera jamais, ce que nul ne réussira jamais bien ni tout à fait; et il n'aura jamais une *carrière*, comme les autres, car il peut y avoir, il a pu y avoir des carrières de savants et d'artistes: il n'y aura jamais de *carrières* de philosophe et de métaphysicien. Et ces deux mots jurent d'être même imaginés ensemble. Il est donc, profondément, presque par définition, éternellement, un déclassé; je dirais un désœuvré, un gauche et emprunté, puisqu'il n'aura jamais son œuvre sous la main. Les autres descendent le fil de l'eau. Il ne quittera plus ce poste que pour essayer, partant de ce point, de remonter plus haut encore, tournant délibérément le dos aux autres qui descendent le courant, de remonter plus haut encore dans des régions encore plus inaccessibles. Les autres suivent le fil de l'eau de l'art, et de la science, et de la vie. Lui au contraire, il a entrepris de remonter le courant de l'être. S'il peut.

Telle est l'association provisoire précaire, plutôt apparente, et aussitôt après telle apparaît la dissociation profonde éternelle, réelle, de tout travail humain: au commencement tout paraît aller bien; artistes et savants d'une part, et d'autre part les seuls philosophes s'installent ensemble, au même point, comme une amicale compagnie. C'est presque ce que nous modernes nommons une coopérative, moins les disputes. Mais apparente association: tout aussitôt après, aux premiers mots de conversation, la scission éternelle intervient instantanée; artistes et savants, toujours ensemble, descendent la facilité du fleuve; et leur tournant le dos, les solitaires philosophes entreprennent de remonter.

Peu d'hommes, et ceux-là devons-nous les nommer des hommes seulement, peu d'hommes circulent par dessus ce point de discernement. Par dessus ce point de rupture et d'opposition contrariée. Peu d'hommes vont et viennent à leur volonté par-dessus ce point. Peu d'hommes à leur volonté montent et descendent. Mais les uns vont. Et les autres viennent. Les uns montent. Et ce sont les autres qui descendent. Et les véritablement très grands hommes ne sont peut-être que les très rares génies qui ont eu le don d'aller et de venir comme des dieux par-dessus ce point de rupture humaine, d'aller et de venir en leur entière liberté par-dessus ce point de fatale diversion, en leur entière unité par-dessus ce point de démembrement, d'une marche continue par-dessus ce point de capitale discontinuité. Ainsi Michelet.

Les autres prennent les occupations; les philosophes se réservent, dans toute la force étymologique du mot, les préoccupations. Un homme comme Michelet cumule dans un courant et dans un tourbillonnement de vie d'une puissance insurmontable les occupations et la préoccupation.

Le jour que l'on voudra bien se demander un peu profondément ce qui fait un de ces hommes essentiels, un peintre essentiel comme Rembrandt, un musicien essentiel comme Beethoven, un tragique essentiel comme Corneille, un penseur essentiel comme Pascal, et je m'arrête à ces quelques exemples pour ne point avoir à citer un trop grand nombre de nos Français, le jour que l'on voudra bien se demander un peu profondément ce qui fait ces œuvres essentielles, *les pèlerins d'Emmaüs*[23], la *neuvième*, *Poly-eucte*, les *Pensées*, on reconnaîtra peut-être que c'est en particulier ceci que pour de tels hommes et pour de telles œuvres ce point de disloquement cesse de fonctionner, ce point de dislocation que nous reconnaissons au contraire comme valable et capital, comme donné, comme irrévocablement acquis pour les autres hommes, pour l'immense commun des hommes et des auteurs, pour la plèbe[24] immense des œuvres de talent. Ou plutôt des ouvrages, car il vaut mieux réserver le nom d'œuvres aux œuvres du génie. Ainsi se vérifierait une fois de plus, et très exactement, sur ce point particulier, ce fait général, et j'irai jusqu'à dire cette loi, au seul sens que nous puissions reconnaître à ce mot, que le génie n'est point du talent porté à un très haut degré, ni même du talent porté au plus haut degré, ni même à sa limite, mais qu'il est d'un autre ordre que le talent.

Un homme comme Michelet est un historien essentiel au même titre et dans le même sens que Rembrandt est un peintre et Pascal un penseur, aussi indéplaçable[25], et une œuvre comme ses *Histoires* est faite comme la *neuvième* et comme *Polyeucte*, aussi indestructible, aussi indiscutable; c'est fait de la même sorte, et les reproches que l'on entend faire à Michelet, comme à Corneille, comme à Pascal, sont très précisément de ceux que ferait à Beethoven quelqu'un qui ne serait pas musicien, à Rembrandt quelqu'un qui ne serait pas peintre.

C'est-à-dire, ainsi que nous le démontrerons, quelqu'un dont il n'y a plus, absolument pas à s'occuper.

Pour un homme comme Michelet ce point de distraction, qui existe et qui est capital pour tous les autres hommes, n'existe pas.

Non seulement il n'existe pas pour lui en ce sens qu'il réussirait à le passer, avec une certaine difficulté, moyennant un certain effort, mais il n'existe absolument pas pour lui, en ce sens que ce passage ne correspond absolument chez lui à aucune difficulté, à aucun effort, ne demande rien, n'existe pas. Ne signifie rien. Ce passage que les autres, les talents, ne peuvent effectuer, réussir, à aucun prix, le génie ne s'en doute même pas. Et il serait bien étonné si on lui en parlait. C'est véritablement le génie qui boit l'obstacle.

Non seulement ce point de distraction, d'écartèlement n'existe absolument pas pour lui, mais il cesse aussi absolument d'exister pour qui est avec lui; de là vient, pour le lecteur, pour le spectateur, cet aisé enchantement que le talent laborieux ne donnera jamais.

Ceux qui ne sont pas Michelet font comme ils peuvent. Ils se partagent le travail. La célèbre division du travail commence à fonctionner pour eux, mais elle ne commence à fonctionner que pour eux. Ce sont les uns qui vont. Et les autres qui viennent. Ce sont les uns qui montent. Et les autres qui descendent. Et sans doute vaut-il mieux qu'il en soit ainsi.

Nous savons par l'histoire des sciences, des arts et de la philosophie, surtout en ce que la troisième a eu de connexe[26] aux deux premières, ou plutôt nous savons par l'histoire des savants, des artistes et des philosophes, surtout en ce que la troisième a eu de connexe aux deux premières, que les savants et que les artistes professionnels qui ont voulu se mêler de métaphysique y ont généralement fort mal réussi, et les savants, il faut leur faire cette justice, encore beaucoup plus mal, s'il est possible, que les artistes. Il est fort heureux que les historiens professionnels n'aient généralement pas eu la pensée de se mêler de métaphysique, et même généralement de philosophie, car on ne voit pas de raison pour qu'ils y eussent réussi davantage. Et ainsi nous aurions peut-être beaucoup plus de métaphysique et de philosophie, mais elle serait mauvaise; et nous aurions, d'autant, beaucoup moins d'histoire, qui a pu être fort bonne.

Les œuvres des autres sont telles qu'on voit fort bien comment un homme intelligent, à force d'intelligence, pourrait en faire autant. Il y suffirait, à la rigueur, d'un prodige d'intelligence. Au contraire ces œuvres que j'ai nommées essentielles, on ne voit absolument pas comme elles sont faites, elles sont du donné[27], comme la vie elle-même.

L'intelligence y nuirait plutôt, c'est à peu près tout ce que l'on en peut dire. Et même on a l'impression qu'il y a entre elles et l'intelligence une antipathie, profonde, une invincible contrariété intérieure. Tous les gens intelligents que nous connaissons, et cette engeance pullule à Paris en France, haïssent mortellement le génie et les œuvres du génie. C'est même le seul sentiment sincère qu'on leur connaisse.

Tout autre est la situation d'un Renan, et c'est une situation presque véritablement unique. D'une part en effet il n'est point un de ces hommes essentiels, c'est-à-dire qu'il n'est point un de ces hommes où n'apparaît pas ce point de rupture. Et d'autre part, sous des aspects de frivolités qui allèrent souvent jusqu'à sembler devenir des mondanités odieuses, il est constant qu'il eut de constantes préoccupations métaphysiques, philosophiques, religieuses. Mais ses occupations d'historien et ses préoccupations de philosophe ne communiquaient point entre elles. Du moins ainsi. Tantôt il était d'un côté, tantôt il était de l'autre. Tantôt il se mouvait dans ses occupations. Tantôt il se mouvait dans ses préoccupations. Il était deux hommes. Mais jamais il ne passait de l'un à l'autre d'un mouvement continu. Tantôt il était d'un côté de ce point de discontinuité. Tantôt il était d'un autre côté, de l'autre côté. Jamais il n'obtint, jamais il ne réalisa cette suppression totale, ou plutôt cette non existence absolue de ce point même de discontinuité, cette communication absolument libre qui fait une marque des génies.

C'est pour cela qu'il nous sera particulièrement précieux dans nos recherches. Un Michelet n'est pas commode pour des petites gens comme nous. De là vient sa grande impopularité actuelle, surtout auprès de nos historiens. Mais un Renan, justement par ce qu'il a de discontinué, de décontenancé, de désarticulé, nous sera particulièrement utile dans nos recherches. Il nous sera comme une planche anatomique préparée d'avance.

Il faut bien se garder de confondre avec les génies véritables

ces pseudo-génies qui ne font que nous en donner une représentation, une similitude, une image pour ainsi dire algébrique
et intellectuelle, un symbole non équivalent. *Les composés
symbolisent avec les simples*[28]. Mais ils ne sont pas les simples.
Il y a des compositions qui donnent l'illusion quelque temps et
qui fournissent comme une symbolisation du génie; mais elles ne
sont pas le génie. Parce qu'on les voit tantôt qui sont d'un
côté du point que nous avons reconnu et tantôt qui sont de
l'autre, on croit naturellement qu'ils passent ce point comme ils
veulent, comme les véritables génies, qu'ils se promènent, là
précisément, à leur volonté, enfin que ce point n'existe pas pour
eux non plus. Erreur grossière: ils ne passent jamais ce point;
mais tantôt ils sont d'un côté tantôt ils sont de l'autre, n'étant
pas les mêmes hommes, et n'ayant pas de communication avec
soi-même. Quand Renan est hanté de préoccupations métaphysiques, il n'est plus, il n'est pas un historien. Quand il
s'adonne à ses occupations d'historien, il n'est plus, il n'est pas
un philosophe. Ses occupations et ses préoccupations ne sont pas
du même monde. Un Michelet au contraire n'est jamais dis-
cernable comme historien de ce qu'il est comme philosophe, ni
comme philosophe de ce qu'il est comme historien. On ne peut
jamais le prendre sur le fait. Il n'est jamais coupable. Il n'est
jamais saisissable comme l'un ou comme l'autre. Son œuvre,
en ce sens, défie toute analyse et se présente indissoluble.

NOTES

1. **sociologie** Emile Durkheim (1858–1917) est un des fondateurs
   de la sociologie moderne et occupait une chaire en Sorbonne dès
   1892. Développant les méthodes positivistes d'Auguste Comte, il
   les appliqua à l'étude des relations humaines. Sa méthode comportait d'abord la recherche des faits sociaux, puis leur organisation selon une théorie suggérée par les faits mêmes. Péguy avait
   écrit un compte-rendu du premier livre de Durkheim, *le Suicide*
   (1897), et prendra le sociologue à partie dans cette vaste polémique
   contre les Sorbonnards qu'est *Argent suite* (1913).

2. **la conduire... front**   l'étudier simultanément dans son ensemble.

3. **Beauce** v. Cendrars, p. 88, note 25. Péguy la décrit dans plusieurs de ses poèmes. Il avait pour la Beauce, qui était pour lui, le coeur même de la France, un vif amour.

4. **nous . . . défiler**   jeu de mots: se défiler est pris dans le sens de se dérober. Péguy s'amuse de sa propre méthode de pensée.

5. *un type... Charlemagne*   un homme qui ressemble à Charlemagne.

6. *Zangwill*   essai qu'avait écrit Péguy pour présenter une nouvelle, *Chad Gadye*, d'Israël Zangwill (1864-1926), écrivain anglais d'origine russo-juive. L'essai parut dans les *Cahiers de la Quinzaine*, 3e cahier, 6e série (30 octobre, 1904).

7. **le**   qu'ils le furent, i.e., qualifiés ou professionels.

8. **aient**   lire: ne soient ... accoutumés à.

9. **M. Thomas**   Albert Thomas, normalien lui aussi, plus jeune que Péguy, socialiste qui sera député. Péguy se moque de la corpulence du «gros Thomas» dans *Argent suite*.

10. **cinéraires**   qui a rapport aux cendres; ici, mortes, sans fraîcheur.

11. **historienne**   terme péjoratif que Péguy oppose à l'adjectif «historique»: qui a rapport aux historiens — la science des historiens par contraste avec la connaissance de l'histoire.

12. **Matthieu**   un soi-disant érudit qui prétendait que Pascal avait fabriqué des faux.

13. **russe**   la bureaucratie russe du dix-neuvième siècle est le modèle d'un organisme gouvernemental totalement fermé sur lui-même en un système clos.

14. **tuyauterie**   au sens propre, une usine qui fabrique des tuyaux, ou un ensemble de tuyaux. Péguy emploie le mot ici pour désigner un système d'éducation où tout est étroitement lié et où l'on passe d'un niveau à l'autre sans jamais sortir du système; **maisons** instituts.

15. **filiformes**   ceux qui font partie de la tuyauterie que décrit Péguy sont devenus comme des fils pour mieux passer d'un «tuyau» à l'autre. Image amusante à valeur satirique, qui renouvelle la valeur de l'expression «suivre la filière».

16. **la guerre des Géants**   Dans la mythologie grecque, les géants essayèrent de venger les Titans en prenant d'assaut l'Olympe. Ils furent vaincus par les divinités olympiennes.

17. **Henri IV... fils de Henri III**   v. le glossaire des noms.

18. **rois de Mède ou de Babylone**   nous laissons au lecteur intéressé l'identification des noms plus ou moins ésotériques qu'entasse La Bruyère en «honnête homme» qui se moque de l'érudition inutile.

19. **Valois ... Bourbon**   deux des plus grandes maisons royales de la France.

20. **Il était breton**   les Bretons sont reputés avoir l'esprit sombre, rêveur, et méditatif.

21. **le postulat d'Euclide**   par un point extérieur à une droite, on ne peut mener qu'une seule parallèle à la droite.

22. **au lieu**   au niveau de. L'image domine tout le long développement subséquent, se faisant de plus en plus concrète. Elle désigne successivement un endroit précis où le philosophe «s'assied», sorte de carrefour, puis un port fluvial d'où l'on peut partir en deux directions contraires pour remonter ou descendre le fleuve. Dans tous les cas elle établit la ligne de démarcation entre deux types d'esprit, les philosophes, dont Péguy approuve, et les autres qu'il prend à partie.

23. *les pèlerins d'Emmaüs* (1648), peinture de Rembrandt; la *neuvième* (1824), symphonie de Ludwig Beethoven; *Polyeucte* (1643), tragédie en cinq actes de Pierre Corneille; les *Pensées* (1670), fragments d'une apologie du christianisme de Blaise Pascal.

24. **la plèbe**   la foule.

25. **indéplaçable**   qu'on ne peut déplacer.

26. **a eu de connexe**   a eu comme rapport.

27. **elles sont du donné**   considérées comme admises *a priori*.

28. **les composés ... simples**   **symbolisent avec**   néologisme, sont représentés par. Le mot «simple», utilisé comme substantif, s'oppose au mot «composé» et désigne un élément considéré comme élémentaire et sans complexité: en médecine, les plantes médicinales de base; en musique, un chant sans variations; en chimie, une seule substance. Il semble que ce soit la chimie à laquelle Péguy se réfère.

Beauvoir | Littérature et métaphysique

Je lisais beaucoup quand j'avais dix-huit ans; je lisais comme on ne lit guère qu'à cet âge, avec naïveté et avec passion. Ouvrir un roman, c'était vraiment entrer dans un monde, un monde concret, temporel, peuplé de figures et d'événements singuliers; un traité de philosophie m'emportait par delà les apparences terrestres dans la sérénité d'un ciel intemporel. Dans l'un et l'autre cas, je me rappelle encore l'étonnement vertigineux qui me saisissait au moment où je refermais le livre. Après avoir pensé l'univers à travers Spinoza ou Kant, je me demandais: «Comment peut-on être assez futile pour écrire des romans?» Mais lorsque je quittais Julien Sorel[1] ou Tess d'Urberville[2], il me semblait vain de perdre son temps à fabriquer des systèmes. Où se situait la vérité? Sur terre ou dans l'éternité? Je me sentais écartelée.

Je pense que tous les esprits qui sont sensibles à la fois aux séductions de la fiction et à la rigueur de la pensée philosophique ont connu plus ou moins ce trouble; car enfin il n'est qu'une réalité; c'est au sein du monde que nous pensons le monde. Si

162

certains écrivains ont choisi de retenir exclusivement un de ces deux aspects de notre condition, élevant ainsi des barrières entre la littérature et la philosophie, d'autres, au contraire, depuis bien longtemps ont cherché à l'exprimer dans sa totalité. L'effort de conciliation auquel on assiste aujourd'hui se situe à la suite d'une longue tradition, il répond à une profonde exigence de l'esprit. Pourquoi donc suscite-t-il tant de méfiance?

Il faut bien le reconnaître, les expressions: «roman métaphysique», «théâtre d'idées», peuvent éveiller quelque inquiétude. Certes, une œuvre signifie toujours quelque chose: celle même qui cherche le plus délibérément à refuser tout sens manifeste encore ce refus; mais les adversaires de la littérature philosophique plaident avec raison que la signification d'un roman ou d'une pièce de théâtre ne doit, pas plus que celle d'un poème, pouvoir se traduire en concepts abstraits: sinon, à quoi bon construire un appareil fictif autour d'idées qu'on exprimerait avec plus d'économie et de clarté dans un langage direct? Le roman ne se justifie que s'il est un mode de communication irréductible à tout autre. Tandis que le philosophe, l'essayiste, livrent au lecteur une reconstruction intellectuelle de leur expérience, c'est cette expérience elle-même, telle qu'elle se présente avant toute élucidation, que le romancier prétend restituer sur un plan imaginaire. Dans le monde réel le sens d'un objet n'est pas un concept saisissable par le pur entendement: c'est l'objet en tant qu'il se dévoile à nous dans la relation globale que nous soutenons avec lui et qui est action, émotion, sentiment; on demande aux romanciers d'évoquer cette présence de chair et d'os dont la complexité, la richesse singulière et infinie, déborde toute interprétation subjective. Le théoricien veut nous contraindre d'adhérer aux idées que lui a suggérées la chose, l'événement. Beaucoup d'esprits répugnent à cette docilité intellectuelle. Ils veulent garder la liberté de leur pensée; il leur plaît, au contraire, qu'une fiction imite l'opacité, l'ambigüité, l'impartialité de la vie; envoûté par l'histoire qui lui est racontée, le lecteur réagit ici comme devant les événements vécus. Il est ému, il approuve, il s'indigne, par un mouvement de tout son être avant de formuler des jugements qu'il tire de lui-même sans qu'on ait la présomption de les lui dicter. C'est là[3] ce qui fait le prix d'un bon roman. Il permet d'effectuer des expériences imaginaires aussi complètes, aussi inquiétantes que les expériences vécues. Le lecteur s'interroge, il doute, il prend parti et cette élaboration hésitante de sa pensée lui[4] est un enrichissement qu'aucun enseignement doctrinal ne pourrait remplacer.

Un vrai roman ne se laisse donc ni réduire en formules, ni même raconter; on ne peut pas plus en détacher le sens qu'on ne détache un sourire d'un visage. Quoique fait de mots, il existe comme les objets du monde qui débordent tout ce qu'on peut en dire avec des mots. Et sans doute, cet objet-là a été construit par un homme et cet homme avait un dessein; mais sa présence doit être bien cachée, sinon cette opération magique qu'est l'envoûtement romanesque ne pourrait pas s'accomplir; de même que le rêve éclate en morceaux si la moindre perception se révèle comme telle au dormeur, de même la croyance imaginaire s'évanouit dès qu'on songe à la confronter avec la réalité: on ne peut pas poser l'existence du romancier sans nier celle de ses héros.

On sera donc tenté d'élever une première objection contre ce qu'on appelle souvent l'intrusion de la philosophie dans le roman: toute idée trop claire, toute thèse, toute doctrine qui tenteraient de s'élaborer à travers une fiction en détruiraient aussitôt l'effet car elles en dénonceraient l'auteur et la feraient, du même coup, apparaître comme fiction. Mais cet argument n'est guère décisif; tout est ici une question d'adresse, de tact, d'art. De toute manière, en feignant de s'abolir, l'auteur triche, il ment; qu'il mente assez bien, il dissimulera ses théories, ses plans; il demeurera invisible, le lecteur se laissera prendre, le tour sera joué.

Mais, précisément, c'est ici, qu'à bon droit, beaucoup de lecteurs se cabrent. Tout en admettant que l'art implique l'artifice, donc une part de mauvaise foi et de mensonge, ils répugnent à l'idée de se laisser jouer. Si la lecture n'était qu'un divertissement sans portée on pourrait situer le débat sur le plan technique; mais si on souhaite être «pris» par un roman, ce n'est pas seulement pour tuer quelques heures; on espère, nous l'avons vu, dépasser sur le plan imaginaire les limites toujours trop étroites de l'expérience réellement vécue. Or ceci exige que le romancier participe lui-même à cette recherche à laquelle il convie son lecteur : s'il prévoit d'avance les conclusions auxquelles celui-ci doit aboutir, s'il fait indiscrètement pression sur lui pour lui arracher son adhésion à des thèses préétablies, s'il ne lui accorde qu'une illusion de liberté, alors l'œuvre romanesque n'est qu'une mystification incongrue; le roman ne revêt sa valeur et sa dignité que s'il constitue pour l'auteur comme pour le lecteur une découverte vivante. C'est cette exigence qu'on exprime d'une manière romantique et quelque peu agaçante quand on dit que le roman doit échapper à son auteur, que celui-ci ne doit pas disposer de ses personnages, mais qu'au contraire ils doivent s'imposer à lui. En fait, malgré les abus du langage, chacun sait que les personnages ne hantent pas la chambre de l'écrivain pour lui dicter leur volonté; mais on ne veut pas non plus qu'ils soient façonnés, *a priori*, à coups de théories, de formules, d'étiquettes; on ne veut pas que l'intrigue soit une pure machination se déroulant mécaniquement. Un roman n'est pas un objet manufacturé et il est même péjoratif de dire qu'il est fabriqué; sans doute, an sens littéral du mot, il est absurde de prétendre qu'un héros de roman est libre, ses réactions imprévisibles et mystérieuses; mais, en vérité, cette liberté qu'on admire chez les personnages de Dostoïewski, par exemple, c'est celle du romancier lui-même à l'égard de ses propres projets; et l'opacité des événements qu'il évoque manifeste la résistance qu'il rencontre au cours de l'acte créateur lui-même. De même qu'une vérité scientifique trouve son prix dans l'ensemble des expériences qui la fondent et qu'elle résume, de même l'œuvre d'art enveloppe l'expérience singulière dont elle est le fruit. L'expérience scientifique est la confrontation du fait, c'est-à-dire de l'hypothèse considérée comme vérifiée avec l'idée neuve. D'une manière analogue, l'auteur doit sans cesse confronter ses dessins avec la réalisation qu'il en ébauche et qui, aussitôt, réagit sur eux; s'il veut que le lecteur croie aux inventions qu'il propose, il faut que le romancier y croie d'abord assez fortement pour découvrir en elles un sens qui rejaillira sur l'idée primitive, qui suggérera des problèmes, des rebondissements, des développements imprévus. Ainsi, au fur et à mesure que l'histoire se déroule, voit-il apparaître des vérités dont il ne connaissait pas à l'avance le visage, des questions dont il ne possède pas la solution: il s'interroge, il prend parti, il court des risques; et c'est avec étonnement, qu'au terme de sa création, il considérera l'œuvre accomplie, dont il ne pourra pas lui-même fournir de traduction abstraite car, d'un seul mouvement, elle se sera donné ensemble son sens et sa chair. Alors, le roman apparaîtra comme une authentique aventure spirituelle. C'est cette authenticité qui distingue une œuvre vraiment grande d'une œuvre simplement habile, et le plus grand talent, l'adresse la plus consommée, ne sauraient en tenir lieu. Si le roman métaphysique était réduit à imiter du dehors cette démarche vivante, s'il trichait avec le lecteur au lieu d'établir avec lui une communication véritable en l'entraînant dans une quête que l'auteur a menée pour son compte, alors il faudrait assurément le condamner.

Certes, on ne satisfait pas aux exigences de l'expérience romanesque si l'on se borne à déguiser d'un revêtement fictif, plus ou moins chatoyant, une armature idéologique préalablement construite. On répudiera le roman philosophique si l'on définit la philosophie comme un système tout constitué et se suffisant à lui-même. En effet, c'est au cours de l'édification du système que l'aventure spirituelle aura été vécue. Le roman qui se proposera de l'illustrer ne fera qu'en[5] exploiter sans risque et sans véritable invention les richesses figées; il sera impossible d'introduire ces rigides théories dans la fiction sans nuire à son libre développement; et on ne voit pas en quoi une histoire imaginaire pourra servir des idées qui auraient trouvé déjà leur mode d'expression propre: elle ne saurait, au contraire, que les diminuer, les appauvrir, car l'idée déborde toujours par sa complexité et la multiplicité de ses applications, chacun des exemples singuliers où on prétendait l'enfermer.

Remarquons d'abord qu'à ce compte, on serait amené à répudier le roman psychologique dont cependant on ne songe pas aujourd'hui à discuter la validité. Il existe aussi une psychologie théorique et si le roman psychologique était voué à illustrer Ribot, Bergson ou Freud, il serait tout à fait inutile; on pourrait prétendre que les héros asservis au caractère que l'auteur leur a choisi, aux lois psychologiques qu'il est obligé de respecter, perdront toute liberté et toute opacité. Si l'on n'élève pas de telles objections, c'est qu'on sait bien que la psychologie n'est pas d'abord une discipline spéciale et étrangère à la vie; toute expérience humaine a une certaine dimension psychologique; et tandis que le théoricien dégage et systématise sur un plan abstrait ces significations, le romancier les évoque dans leur singularité concrète; en tant que disciple de Ribot, Proust ennuie, il ne nous apprend rien; mais Proust, romancier authentique, découvre des vérités dont aucun théoricien de son temps n'a proposé l'équivalent abstrait.

C'est d'une manière analogue qu'il convient de concevoir le rapport du roman et de la métaphysique. La métaphysique n'est pas d'abord un système; on ne «fait» pas de la métaphysique comme on «fait» des mathématiques ou de la physique. En réalité, «faire» de la métaphysique c'est «être» métaphysique, c'est réaliser en soi l'attitude métaphysique qui consiste à se poser dans sa totalité en face de la totalité du monde. Tout événement humain possède par delà ses contours psychologiques et sociaux une signification métaphysique puisque, à travers chacun d'eux, l'homme est toujours engagé tout entier, dans le monde tout entier; et il n'est sans doute personne à qui ce sens ne se soit dévoilé en quelque moment de sa vie. En particulier, il arrive souvent aux enfants qui ne sont pas encore ancrés dans leur petit coin d'univers d'éprouver avec étonnement leur «être-dans-le-monde[6]» comme ils éprouvent leur corps. Par exemple, c'est une expérience métaphysique que cette découverte de l' «ipséité[7]» décrite par Lewis Carroll dans *Alice au Pays des Merveilles*[8], par Richard Hughes, dans *Un Cyclone à la Jamaïque*[9]; l'enfant découvre concrètement sa présence au monde, son délaissement, sa liberté, l'opacité des choses, la résistance des consciences étrangères; à travers ses joies, ses peines, ses résignations, ses révoltes, ses peurs, ses espoirs, chaque homme réalise une certaine situation métaphysique qui le définit beaucoup plus essentiellement qu'aucune de ses aptitudes psychologiques.

Il y a une saisie originelle de la réalité métaphysique et tout comme en psychologie, il y a deux façons divergentes de l'expliciter. On peut s'efforcer d'en élucider le sens universel en un langage abstrait; on élaborera ainsi des théories où l'expérience métaphysique se trouvera décrite et plus ou moins systématisée sous son aspect essentiel, donc intemporel et objectif. Si, par ailleurs, le système ainsi constitué affirme que cet aspect est seul réel, s'il pose comme négligeable la subjectivité et l'historicité[10] de l'expérience, il exclut évidemment toute autre manifestation de la vérité. Il serait absurde d'imaginer un roman aristotélicien, spinoziste ou même leibnizien[11], puisque ni la subjectivité ni la temporalité n'ont de place réelle dans ces métaphysiques. Mais si, au contraire, une philosophie retient l'aspect subjectif, singulier et dramatique de l'expérience, elle se conteste elle-même dans la mesure où, en tant que système intemporel, elle ne fait pas sa part à sa vérité temporelle. Ainsi, en tant qu'il affirme la réalité suprême de l'Idée[12] dont ce monde n'est qu'une dégradation trompeuse, Platon n'a que faire des poètes, il les bannit de sa république[13]; mais en tant que, décrivant le mouvement dialectique qui porte l'homme vers l'idée, il intègre à la réalité l'homme et le monde sensible, Platon éprouve le besoin de se faire lui-même poète. Il situe dans les prairies en fleurs, autour d'une table, au chevet d'un mourant, sur terre, les entretiens qui montrent le chemin du ciel intelligible. De même, chez Hegel, dans la mesure où l'esprit ne s'est pas encore accompli mais est en train de s'accomplir, il faut, pour raconter adéquatement son aventure, lui conférer une certaine épaisseur charnelle; dans la *Phénoménologie de l'Esprit*, Hegel recourt à des mythes littéraires tels que *Don Juan* et *Faust,* car le drame de la conscience malheureuse[14] ne trouve sa vérité que dans un monde concret et historique.

Plus vivement un philosophe souligne le rôle et la valeur de la subjectivité, plus il sera amené à décrire l'expérience métaphysique sous sa forme singulière et temporelle. Non seulement Kierkegaard recourt comme Hegel à des mythes littéraires, mais dans *Crainte et Tremblement* il recrée l'histoire du sacrifice d'Abraham sous une forme qui touche à la forme romanesque et dans *Le Journal d'un Séducteur,* il livre dans sa singularité dramatique son expérience originelle[15]. Il se trouvera même des pensées qui ne sauraient sans contradiction s'exprimer d'une manière catégorique; ainsi, pour Kafka qui souhaite peindre le drame de l'homme enfermé dans l'immanence[16], le roman est le seul mode de communication possible. Parler du transcendant, fût-ce pour dire qu'il est inaccessible, serait déjà prétendre y accéder, au lieu qu'un récit imaginaire permet de respecter ce silence qui est seul adéquat à notre ignorance.

Ce n'est pas un hasard si la pensée existentialiste tente de s'exprimer aujourd'hui, tantôt par des traités théoriques, tantôt par des fictions: c'est qu'elle est un effort pour concilier l'objectif et le subjectif, l'absolu et le relatif, l'intemporel et l'historique; elle prétend saisir l'essence au cœur de l'existence; et si la description de l'essence relève de la philosophie proprement dite, seul le roman permettra d'évoquer dans sa vérité complète, singulière, temporelle, le jaillissement originel de l'existence. Il ne s'agit pas ici pour l'écrivain d'exploiter sur un plan littéraire des vérités préalablement établies sur le plan philosophique, mais bien de manifester un aspect de l'expérience métaphysique qui ne peut se manifester autrement: son caractère subjectif, singulier, dramatique et aussi son ambiguïté; puisque la réalité n'est pas définie comme saisissable par la seule intelligence, aucune description intellectuelle n'en saurait donner une expression adéquate. Il faut tenter de la présenter dans son intégrité, telle qu'elle se dévoile dans la relation vivante qui est action et sentiment avant de se faire pensée.

Mais on voit alors que le souci philosophique est loin de se trouver incompatible avec les exigences du roman. Pour s'inscrire dans une vision métaphysique du monde, celui-ci n'en gardera pas moins un caractère d'aventure spirituelle. De toute manière, nous ne sommes plus dupes aujourd'hui de la fausse objectivité naturaliste, nous savons que tout romancier a sa vision du monde, et c'est même à ce prix qu'il nous intéresse. Le point de vue métaphysique n'est pas plus étroit qu'un autre, au contraire, c'est même en lui que peuvent se concilier les points de vue psychologique et social qui échouent si souvent à se rejoindre et qui, pris à part, sont chacun incomplets. Qu'on ne prétende pas non plus qu'un personnage défini par sa dimension métaphysique : angoisse, révolte, volonté de puissance, crainte de la mort, fuite, soif d'absolu, sera nécessairement plus rigide, plus fabriqué qu'un avare, un poltron, un jaloux, que caractérisent des traits psychologiques. Tout dépend ici de la qualité d'imagination et de la puissance d'invention de l'auteur. Surtout, il ne faut pas croire que la lucidité intellectuelle de l'écrivain risque de lui faire manquer l'épaisseur, la richesse ambiguë du monde. Certes, si l'on imagine qu'à travers la pâte colorée et vivante des choses il aperçoit des essences desséchées, on peut craindre qu'il ne nous livre un univers mort, aussi étranger à celui que nous respirons qu'une photographie aux rayons X est différente d'un corps de chair. Mais cette crainte n'est fondée qu'à l'égard des philosophes qui, séparant l'essence de l'existence, dédaignent l'apparence au profit de la réalité cachée[17] : aussi bien, ceux-ci ne sont pas tentés d'écrire des romans ; quant à ceux, au contraire, pour qui l'apparence est réalité, l'existence, support de l'essence, le sourire indiscernable d'un visage souriant, le sens d'un événement de l'événement lui-même, ce n'est que par l'évocation sensible, charnelle du domaine terrestre, que leur vision peut s'exprimer. Bien des exemples démontrent qu'aucun de ces arguments, *a priori*, ne sont valables. Les *Frères Karamazov*, *Le Soulier de Satin*[18], se déroulent dans le cadre d'une métaphysique chrétienne. C'est le drame chrétien du bien et du mal qui s'y noue et s'y dénoue. On sait assez que cela n'entrave ni les réactions des héros ni le déroulement de l'intrigue et que le monde de Dostoïewski, comme celui de Claudel sont des mondes charnels, concrets; c'est que le bien, le mal, ne sont pas des notions abstraites; ils ne se saisissent que dans les actes bons ou mauvais qu'accomplissent les hommes et l'amour de Doña Prouhèze pour Rodrigue, n'est pas moins sensuel, pas moins humain, pas moins bouleversant parce qu'elle met en jeu, à travers lui, le salut de son âme.[19]

En vérité, c'est bien souvent le lecteur qui refuse de participer sincèrement à l'expérience dans laquelle l'auteur tente de l'entraîner : il ne lit pas comme il réclame qu'on écrive, il craint de prendre des risques, de s'aventurer; avant même d'ouvrir le livre, il lui suppose des clés, et au lieu de se laisser prendre par l'histoire, sans cesse il cherche à la traduire; ce monde imaginaire qu'il devrait vivifier, il le tue et se plaint qu'on lui ait livré un cadavre. Ainsi un critique russe[20], contemporain de Dostoïewski reprochait aux *Karamazov* d'être un traité de philosophie dialogué et non un roman. M. Blanchot dit très profondément, à propos de Kafka qu'en le lisant on comprend toujours trop ou trop peu. Je crois que cette remarque peut s'appliquer à tout roman métaphysique en général : mais cette hésitation, cette part d'aventure, le lecteur ne doit pas essayer de l'éluder; qu'il n'oublie pas que sa collaboration est nécessaire puisque le propre du roman est précisément de faire appel à sa liberté.

Honnêtement lu, honnêtement écrit, un roman métaphysique apporte un dévoilement de l'existence dont aucun autre mode d'expression ne saurait fournir l'équivalent; loin d'être, comme on l'a parfois prétendu, une dangereuse déviation du genre romanesque, il m'en semble au contraire, dans la mesure où il est réussi, l'accomplissement le plus achevé puisqu'il s'efforce de saisir l'homme et les événements humains dans leur rapport avec la totalité du monde, puisque lui seul peut réussir ce à quoi échouent la pure littérature comme la pure philosophie: évoquer dans son unité vivante et sa fondamentale ambigüité vivante, cette destinée qui est la nôtre et qui s'inscrit à la fois dans le temps et dans l'éternité.

NOTES

1. **Julien Sorel**   personnage central du roman de Stendhal, *le Rouge et le noir* (1830).
2. **Tess d'Urberville**   héroïne du roman homonyme (1891) de Thomas Hardy.
3. **là**   cela, i. e., le mouvement de tout l'être, etc.
4. **lui** pour lui.
5. **en**   du système.
6. **être-dans-le-monde**   terme emprunté à la philosophie existentialiste qui désigne la totalité des rapports entre l'individu et sa «situation».
7. **ipséité**   ce qui fait qu'un individu est lui-même et se distingue de tout autre.
8. *Alice au Pays des merveilles*   un récit pour enfants (1865) qui raconte l'histoire d'un rêve où la petite Alice est précipitée au centre de la terre et ensuite participe à une série d'aventures fantastiques. On peut interpréter son aventure comme une initiation à l'absurdité du monde.
9. *Un Cyclone à la Jamaïque*   Dans ce roman (1932) une petite fille, Emily, est enlevée avec d'autres enfants par des pirates. Par peur, elle tue un homme et elle devient l'instrument qui condamne les pirates, devenus ses amis, qui sont tenus responsables du meurtre.
10. **historicité**   caractère de ce qui est intégré dans l'avenir humain.
11. **un roman aristotélicien... leibnizien**   la philosophie d'Aristote, de Spinoza, ou de Leibniz exprimée sous forme de roman.
12. **Idée**   Dans le platonisme les Idées sont les normes ou types éternels des choses.
13. **il les bannit... république**   Selon Platon, les poètes imitent la nature, qui est déjà une imitation de l'Idée. Donc la substance de leur

œuvre, étant une imitation d'une imitation, est doublement éloignée de la vérité. Ainsi Platon dans sa *République*, dialogue composé entre 389–369 où il décrit une république idéale, bannit les poètes de l'état comme propagateurs de mensonges.

14. **la conscience malheureuse** Dans *la Phénoménologie de l'esprit* (1807) Hegel distingue trois degrés dans le développement de l'esprit: conscience objective; autoconscience individuelle; raison, comme conscience de la communauté. L'autoconscience individuelle serait la conscience malheureuse car elle agit par opposition au monde extérieur hostile et finit par se désespérer en s'efforçant de dépasser ses propres limites.

15. **Kierkegaard... expérience originelle** Dans le récit *Crainte et tremblement* (1843), Kierkegaard utilise l'histoire d'Abraham et Isaac comme un exemple du dépassement de l'éthique au moyen duquel on aboutit à l'absolu, c'est-à-dire, à la foi. Son *Journal d'un séducteur* (1843) qui traite de la victoire de la religion sur l'esthétisme est inspiré par l'amour que Kierkegaard portait à Regina Olsen.

16. **l'homme enfermé... immanence** Dans les romans de Kafka, tel que *le Procès*, l'homme est souvent peint comme enfermé dans la vie quotidienne, emprisonnement qui l'empêche de réaliser son moi authentique et, ce faisant, d'atteindre la Loi divine.

17. **l'apparence... la réalité cachée** Simone de Beauvoir oppose ici les essentialistes aux existentialistes. Ceux-ci considèrent les choses d'un point de vue phénoménologique; c'est-à-dire qu'ils font l'étude descriptive d'un ensemble de phénomènes tels qu'ils se manifestent dans le temps et dans l'espace, par opposition soit aux lois abstraites et fixes de ces phénomènes soit à des réalités transcendantes dont ils seraient la manifestation.

18. *les Frères Karamazov* roman de Féodor Dostoïevsky (1879–1880); *le Soulier de satin* pièce de Paul Claudel (publiée 1928–1929, représentée 1943).

19. **Dona Prouhèze... âme** Doña Prouhèze et Don Rodrigue sont les protagonistes du *Soulier de satin*. Leur amour terrestre reste inaccompli pour qu'ils puissent réaliser leur salut.

20. **un critique russe** Il s'agit sans doute de Georgi Plekhanov (1856–1918).

IV Visages

Me voici, l'auteur de tout...
VIRGILE

C'est en 1948 que parut chez Seghers une plaquette à tirage limité, illustrée de pointes-sèches par le peintre Wols, *Visages* de Jean-Paul Sartre. Les curieux dessins de Wols ne sont pas extérieurs au texte de Sartre. Ils soulignent plutôt ce qui, dans la vision sartrienne, échappe à l'analyse. Visages humains encore, mais à peine. Déjà abstraits mais en voie de métamorphose vers de nouvelles incarnations — tubercules, organes, bactéries; striés, déformés, sol ingrat où pousse l'herbe éparse des cheveux, des cils, des sourcils, de la barbe — les visages de Wols sont chargés d'une sorte d'angoisse.

Comme Wols, Sartre, dans son essai, par une opération quasi chirurgicale menée grâce au langage, détache, abstrait, métamorphose, détruit, et recrée le visage humain. Dès l'ouverture, les images sartriennes sont à l'œuvre, concrètes, mais qui poursuivent le travail de dissociation, d'abstraction: statue, corps sans visage, colonne, chapiteau. Le visage, escamoté, a disparu pour réapparaître, comme une sorte d'entité autonome: relique curieuse, objet tabou, autel érotique, idole ronde. Sartre ouvre son essai

comme un cinéaste surréaliste. Magicien tapi derrière ce surgisse-
ment d'images il nous livre la clef qui en régit le déroulement:
«Dans les sociétés d'hommes, les visages règnent»: visages rois,
visages sacrés, tout s'ordonne donc par rapport à eux, cultes et
haines. Etrange et comique, dans ce contexte, le mime d'un fait
banal: l'entrée d'un couple dans un salon. Et non moins étrange,
la conclusion: «société de visages, société de sorciers», avec sa
première, et violente abstraction et sa conclusion métaphorique
et sybilline.

Ce sont ces images, concrètes mais créatrices de visions
étrangères au monde quotidien qu'elles décrivent, qui donnent
à l'essai son impulsion, frappant au départ notre imagination.
Elles réapparaîtront, dispersées, au cours du développement: idole
ronde — passe-boules mécanique — boule d'ivoire; visage porté au
bout du col, au bout des piques, visage que je porte devant moi
comme une confidence — et ainsi de suite.

Ce n'est qu'au début du troisième paragraphe que, déplaçant
le visionnaire, apparaît Sartre le philosophe, commentateur de
son propre film. Et le film reprendra plus tard lorsque Sartre
fera surgir cette chose monstrueuse: un visage sans yeux, des
yeux sans regard. C'est en détachant progressivement chaque
élément du tout que Sartre, chirurgien et magicien, arrive finalement à affranchir du visage ce qui seul le préoccupe, le regard,
par où se manifeste cet élément deux fois nommé, l'esprit.

La description ici n'est nullement «phénoménologique» malgré
son allure assagie: «Je dis ce que je vois, simplement.» Elle est
visionnaire. L'on reconnaît sans peine certains thèmes sartriens:
l'intentionnalité, la temporalité, l'approche de l'autre, la transcendance de la conscience, cet élément uniquement humain. Mais ces
thèmes ne dirigent pas le développement; ils l'accompagnent.
Plus qu'aucun autre texte de Sartre, cet essai est une confession.
La présence des autres hommes affecte Sartre profondément, et de
façon ambiguë. Hommes-choses, corps vaquant à leurs affaires,
ils suscitent en lui une émotion violente, irrationnelle, mi-hor-
reur, mi-fascination. Cette émotion explose en images baroques,

mélange détonant de satire et de poésie. Elle est par là même une puissante source de création qui éveille en Sartre ce qu'il nommerait peut-être le sorcier. Mais lorsqu'ils se manifestent en tant que «visages-regards», les hommes émeuvent Sartre tout autrement et, devenus fraternels, l'attachent, le retiennent. Ambiguïté, dualité, Sartre — en 1948 au moins — se révèle étonnamment vulnérable aux appels du visage humain. Ce ne sont point tellement, semble-t-il, les problèmes abstraits qui le sollicitent spontanément, mais une interrogation bien humaine: «Reste à savoir pourquoi la figure humaine nous émeut.» Plus que la réponse, en quelque sorte traditionnelle — cette figure nous émeut parce qu'elle manifeste la présence de l'esprit — c'est la façon de voir, de sentir la présence humaine qui se manifeste ici dans sa profonde originalité. La sensibilité de Sartre est proche de celle des expressionnistes, des surréalistes mêmes, mais plus complexe. Ses suggestions spontanées, les impulsions émotionnelles, quasi biologiques, violemment pathétiques et imagées qu'elle introduit dans le mouvement de la pensée du philosophe se heurtent à la croyance sartrienne en la prééminence d'une faculté humaine, la pure intelligence.

Sartre | Visages

Dans une société de statues on s'ennuierait ferme, mais on y vivrait selon la justice et la raison: les statues sont des corps sans visages; des corps aveugles et sourds, sans peur et sans colère, uniquement soucieux d'obéir aux lois du juste[1], c'est-à-dire de l'équlibre et du mouvement. Elles ont la royauté des colonnes doriques[2]; la tête c'est le chapiteau. Dans les sociétés d'hommes, les visages règnent. Le corps est serf, on l'emmaillotte, on le déguise, son rôle est de porter, comme un mulet, une relique cireuse. Un corps ainsi bâté, qui entre avec son précieux fardeau dans une salle close où des hommes sont assemblés, c'est toute une procession. Il avance, portant sur ses épaules, au bout de son col, l'objet tabou; il le tourne et le retourne, il le fait voir; les autres hommes lui jettent un regard furtif et baissent les yeux. Une femme le suit, son visage est un autel érotique, on l'a surchargé de victimes mortes, de fruits, de fleurs, d'oiseaux massacrés; sur ses joues, sur ses lèvres on a tracé des signes rouges. Société de visages, société de sorciers. Pour comprendre la guerre et l'injustice et nos ardeurs sombres et le sadisme et les grandes terreurs, il faut en revenir à ces idoles rondes qu'on promène à travers les rues sur des corps asservis ou, quelquefois, par les temps de colère, au bout des piques.

Voila ce que nient les psychologues : ils ne sont à leur aise qu'au milieu de l'inerte, ils ont fait de l'homme une mécanique et du visage un passe-boules[3] articulé. D'ailleurs, ils prouvent ce qu'ils avancent, puisqu'ils ont inventé le sourire électrique. Il suffit de choisir un chômeur de bonne volonté ou, mieux encore, un fou hospitalisé gratuitement dans un asile; on excite avec délicatesse son nerf facial au moyen d'un courant de faible voltage; la commissure des lèvres se relève un peu; le patient sourit. Tout cela est indiscutable; il y a des procès-verbaux d'expérience, des calculs et des photographies : la preuve est donc faite que les jeux de physionomie sont une somme de petites secousses mécaniques[4]. Reste à expliquer pourquoi la figure humaine nous émeut; mais cela va de soi : vous avez, disent les psychologues, appris peu à peu à récolter les indices et à les interpréter. Vous connaissez le visage d'autrui par comparaison avec le vôtre. Vous avez souvent observé que, dans la colère par exemple, vous contractez les muscles sourciliers et que le sang venait à vos joues. Quand vous retrouvez chez autrui ces sourcils froncés et ces joues en feu, vous concluez qu'il est irrité; voilà tout.

Le malheur c'est que je ne vois pas mon visage — ou, du moins, pas d'abord. Je le porte en avant de moi comme une confidence que j'ignore et ce sont, au contraire, les autres visages qui m'apprennent le mien. Et puis la figure humaine est indécomposable : voyez ce furieux qui se calme; ses lèvres s'amollissent, un sourire s'alourdit comme une goutte d'eau au bas de cette face sombre. Parlerez-vous de perturbations locales? Songerez-vous à en faire la somme? Seules les lèvres ont remué, mais tout le visage a souri. Et puis encore la colère et la joie ne sont

pas d'invisibles événements de l'âme que je supposerais seulement d'après des signes; elles habitent le visage comme ce vert-
roux habite au milieu du feuillage. Pour apercevoir le vert d'un
feuillage ou la tristesse d'une bouche amère, il n'est pas besoin
d'apprentissage. Certes, un visage est aussi une chose: je peux
le prendre entre mes doigts, supporter le poids lourd et chaud
d'une tête que j'aime, je peux froisser des joues comme une
étoffe, déchirer des lèvres comme des pétales, briser un crâne
comme une potiche. Mais il n'est pas seulement ni même d'abord
une chose. On nomme magiques ces objets inertes, os, crâne,
statuette, patte de lapin, tout encroûtés dans leur routine
silencieuse et qui pourtant ont les vertus d'un esprit. Tels sont
les visages: des fétiches naturels. Je vais essayer de les décrire
comme des êtres absolument neufs, en feignant que je ne sache
rien sur eux, pas même qu'ils appartiennent à des âmes. Je prie
qu'on ne prenne pas pour des métaphores les considérations qui
suivent. Je dis ce que je vois, simplement.

Le visage, limite extrême du corps humain, doit se comprendre à partir du corps. Avec le corps il a ceci de commun
que tous ses mouvements sont des gestes. Par là, il faut entendre
que le visage fabrique son propre temps au milieu du temps
universel. Le temps universel est fait d'instants mis bout à bout;
c'est celui du métronome, du sablier, du clou[5]. La bille nous
savons bien qu'elle flotte dans un perpétuel présent; son avenir
est en dehors d'elle, dilué dans le monde entier, son mouvement
présent s'évase en mille autres déplacements possibles. Que le
tapis se plisse, que la planche s'incline, sa vitesse diminuera ou
s'accroîtra pour autant. Je ne sais même pas si elle s'arrêtera
jamais, sa fin lui viendra du dehors ou peut-être ne viendra-t-
elle pas. Tout cela, je le vois sur la bille: je ne vois pas qu'elle
roule, je vois qu'elle est roulée. Roulée par quoi? Par rien: les
mouvements des choses inertes sont de curieux mélanges de néant
et d'éternité. Sur ce fond stagnant, le temps des corps vivants se
détache parce qu'il est orienté. Et cette orientation, derechef, je ne

la suppose pas, je la vois: un rat qui détale, court vers son trou, le trou est la fin de son geste, son but et son terme ultime. Un rat qui court, un bras qui se lève, je sais d'abord où ils vont, ou, du moins, je sais qu'ils vont quelque part. Quelque part des vides se creusent, qui les attendent; autour d'eux l'espace se peuple d'attentes, de lieux naturels et chacun de ces lieux est un arrêt, un repos, une fin de voyage. Ainsi des visages. Je suis seul dans une pièce close, noyé dans le présent. Son avenir est invisible, je l'imagine vaguement par delà les fauteuils, la table, les murs, toutes ces indolences sinistres qui me le[6] masquent. Quelqu'un entre, m'apportant son visage: tout change. Au milieu de ces stalactites qui pendent dans le présent, le visage, vif et fureteur, est toujours en avance sur mon regard, il se hâte vers mille achèvements particuliers, vers le glissement à la dérobée d'un coup d'œil, vers la fin d'un sourire. Si je veux le déchiffrer, il faut que je le précède, que je le vise là où il n'est pas encore, comme un chasseur fait d'un gibier très rapide, il faut que je m'établisse moi aussi dans le futur, au beau milieu de ses projets, pour le voir venir à moi du fond du présent. Un peu d'avenir est entré dans la pièce, une brume d'avenir entoure le visage: son avenir. Une toute petite brume, juste de quoi remplir le creux de mes mains. Mais je ne puis voir les figures des hommes qu'à travers leur avenir. Et cela, l'avenir visible, c'est de la magie déjà.

Mais le visage n'est pas simplement la partie supérieure du corps. Un corps est une forme close, il absorbe l'univers comme un buvard absorbe l'encre. La chaleur, l'humidité, la lumière s'infiltrent par les interstices de cette matière rose et poreuse, le monde entier traverse le corps et l'imprègne. Observez à présent ce visage aux yeux clos. Corporel encore et pourtant différent d'un ventre ou d'une cuisse; il a quelque chose de plus, la voracité; il est percé de trous goulus qui happent tout ce qui passe à portée. Les bruits viennent clapoter dans les oreilles et les oreilles les engloutissent; les odeurs emplissent les narines comme des tampons d'ouate. Un visage sans les yeux, c'est une bête à lui tout seul, une de ces bêtes incrustées dans la coque des bateaux et qui remuent l'eau de leurs pattes pour attirer vers elles les détritus flottants. Mais voici les yeux qui s'ouvrent et le regard paraît: les choses bondissent en arrière; à l'abri derrière le regard, oreilles, narines, toutes les bouches immondes de la tête continuent sournoisement à mâchonner les odeurs et les sons, mais personne n'y prend garde. Le regard c'est la noblesse des visages parce qu'il tient le monde à distance et perçoit les choses où elles sont.

Voici une boule d'ivoire, sur la table, et puis, là-bas, un fauteuil. Entre ces deux inerties, mille chemins sont également possibles, ce qui revient à dire qu'il n'y a pas du tout de chemin, mais seulement un éparpillement infini d'autres inerties; s'il me plaît de les rejoindre par une route que je trace dans les airs du bout de mon doigt, cette route, au fur et à mesure que je la trace, s'égrène en poussière: un chemin n'existe qu'en mouvement. Lorsque je considère, à présent, ces deux autres boules, les yeux de mon ami, je remarque d'abord qu'il y a pareillement entre elles et le fauteuil un millier de chemins possibles: cela signifie que mon ami ne regarde pas; par rapport au fauteuil ses yeux sont encore des choses. Mais voici que les deux boules tournent dans leurs orbites, voici que les yeux deviennent regard. Un chemin se fraye tout à coup dans la pièce, un chemin sans mouvement, le plus court, le plus raide. Le fauteuil, par dessus un entassement de masses inertes, sans quitter sa place est immédiatement présent à ces yeux. Cette présence instantanée aux yeux-regard alors qu'il demeure à vingt pas des yeux-choses, je la perçois sur le fauteuil, comme une altération profonde de sa nature. Tout à l'heure, poufs, canapés, sofas, divans se disposaient en rond autour de moi. Maintenant le salon s'est décentré; au gré de ces yeux étrangers, les meubles et les bibelots s'animent tour à tour d'une vitesse centrifuge et immobile, ils se vident en arrière et par côté, ils s'allègent de qualités que je ne leur soupçonnais même pas, que je ne verrai jamais, dont je sais à présent qu'elles étaient là, en eux, denses et tassées, qu'elles les lestaient, qu'elles attendaient le regard d'un autre pour naître. Je commence à comprendre que la tête de mon ami, tiède et rose contre le dossier de la bergère, n'est pas le tout de son visage: c'en est seulement le noyau. Son visage c'est le glissement figé du mobilier; son visage est partout, il existe aussi loin que son regard peut porter. Et ses yeux, à leur tour, si je les contemple, je vois qu'ils ne sont pas fichés là-bas dans sa tête, avec la sérénité des billes d'agate: ils sont créés à chaque instant par ce qu'ils regardent, ils ont leur sens et leur achèvement hors d'eux-mêmes, derrière moi, au-dessus de ma tête ou à mes pieds. De là vient le charme magique des vieux portraits: ces têtes que Nadar a photographiées aux environs de 1860, il y a beau temps qu'elles sont mortes. Mais leur regard reste, et le monde du Second Empire[7], éternellement présent au bout de leur regard.

Je peux conclure, car je ne visais que l'essentiel: on découvre, parmi les choses, de certains êtres qu'on nomme les visages. Mais ils n'ont pas l'existence des choses. Les choses n'ont pas d'avenir et l'avenir entoure le visage comme un manchon. Les choses sont jetées au milieu du monde, le monde les enserre et les écrase, mais pour elle il n'est point monde: il n'est que l'absurde poussée des masses les plus proches. Le regard au contraire, parce qu'il perçoit à distance, fait apparaître soudain l'Univers et, par là même, s'évade de l'univers. Les choses sont tassées dans le présent, elles grelottent à leur place, sans bouger; le visage se jette en avant de lui-même, dans l'étendue et dans le temps. Si l'on appelle transcendance cette propriété qu'à l'esprit de se dépasser et de dépasser toute chose; de s'échapper à soi pour s'aller perdre là-bas, hors de soi, n'importe où, mais ailleurs, alors le sens d'un visage c'est d'être la transcendance visible. Le reste est secondaire: l'abondance de la chair peut empâter cette transcendance; il se peut aussi que les appareils des sens ruminants l'emportent sur le regard et que nous soyions[8] attirés d'abord par les deux plateaux cartilagineux ou par les trous humides et velus des narines; et puis le modelé peut intervenir et façonner la tête selon les qualités de l'aigu, du rond, du tombant, du boursouflé. Mais il n'est pas un trait du visage qui ne reçoive d'abord sa signification de cette sorcellerie primitive que nous avons nommée transcendance.

NOTES

1. **lois du juste**   lois exactement conformes à leur nature.

2. **doriques**   Le dorique est l'ordre d'architecture grecque le plus ancien. Il est caractérisé par la sobriété et par l'absence de base et d'ornement au chapiteau.

3. **passe-boules**   jouet représentant la figure d'un personnage plus ou moins grotesque dont la bouche est ouverte démesurément pour recevoir les boules que le joueur doit y lancer.

4. **secousses mécaniques**   allusion à la théorie des réflexes conditionnés, associée le plus souvent au nom du médecin russe Pavlov (1849–1936).

5. **clou**   Sartre fait allusion à la coutume du *clavus annalis* («clou annuel») chez les Romains. Aux ides de septembre on enfonçait un clou dans le mur du temple de Jupiter Capitolinus à Rome pour marquer le commencement de l'année. Sartre présente trois instruments qui mesurent l'écoulement du temps, par contraste avec la bille dont le mouvement est irrégulier.

6. **le**   l'avenir.

7. **Second Empire**   1852–1870.

8. **soyions**   forme alternative du subjonctif.

A L A I N (1868–1951)
(pseud. d'Emile Chartier)

CHRONOLOGIE

1868 Né à Mortagne–au–Perche
1909–1933 Professeur de philosophie au lycée Henri VI
1920 *Système des beaux–arts; les Propos d'Alain*
1921 *Mars ou la Guerre jugée*
1923 *Propos sur l'esthétique*
1924 *Propos sur le christianisme*
1925 *Propos sur le bonheur*
1927 *les Idées et les âges*
1928 *Cent et un propos*
1931 *Vingt leçons sur les beaux–arts*
1932 *Propos sur l'éducation*
1933 *Propos de littérature;* prend sa retraite
1934 *les Dieux; Propos de politique*
1936 *Histoire de mes pensées*
1937 *Souvenirs de guerre; les Saisons de l'esprit*
1938 *Propos sur la religion*
1939 *Minerve ou la sagesse*
1942 *les Vigiles de l'esprit*
1945 *les Aventures du cœur*
1946 *Humanités*
1951 Reçoit le Grand Prix National de Littérature

BIBLIOGRAPHIE[1]

Bénézé, Georges. *Généreux Alain.* Paris: Presses Universitaires de France, 1962.

Bridoux, André. *Alain, sa vie, son œuvre.* Paris: Presses Universitaires de France, 1964.

---

[1]Ces bibliographies sont loin d'être complètes et ne sont données qu'à titre d'indication très générale.

HALDA, BERNARD. *Alain*. Paris: Editions Universitaires, 1965.
Hommage à Alain. Paris: NRF, 1952.
MAUROIS, ANDRÉ. *Alain*. Paris: Domat, 1950.

SIMONE DE BEAUVOIR (1908–)

CHRONOLOGIE

1908   Née à Paris
1929   Agrégée de philosophie
1931–32   Professeur de philosophie à Marseille
1933–37   Professeur de philosophie à Rouen
1938–43   Professeur de philosophie à Paris
1943   *l'Invitée*
1944   *Pyrrhus et Cinéas*
1945   *les Bouches inutiles; le Sang des autres*
1946   *Tous les hommes sont mortels*
1947   *Pour une morale de l'ambiguïté*
1948   *l'Amérique au jour le jour; l'Existentialisme et la sagesse des nations*
1949   *le Deuxième Sexe*
1954   *les Mandarins* (Prix Goncourt)
1955   *Privilèges*
1957   *la Longue Marche*
1958   *Mémoires d'une jeune fille rangée*
1960   *la Force de l'âge*
1963   *la Force des choses*
1964   *Une Mort très douce*
1966   *les Belles Images*

BIBLIOGRAPHIE

BAYS, GWENDOLYN. «Simone de Beauvoir: Ethics and Arts». *YFS*, Vol. I, No. 1 (1948), 106–112.
BLIN, GEORGES. «Simone de Beauvoir et le problème de l'action». *Fontaine*, No. 45 (octobre 1945), 716–730.

GENNARI, GENEVIÈVE. *Simone de Beauvoir.* Paris: Editions Universitaires, 1959.

HENRY, A. M., O. P. *Simone de Beauvoir ou l'échec d'une chrétienté.* Paris: Fayard, 1961.

HOURDIN, GEORGE. *Simone de Beauvoir.* Paris: Editions du Cerf, 1963.

JEANSON, FRANCIS. *Simone de Beauvoir ou l'Entreprise de vivre.* Paris: Seuil, 1966.

MERLEAU-PONTY, MAURICE. «Le Roman et la métaphysique», dans *Sens et non-sens.* Paris: Nagel, 1948. Pp. 51–82.

MICHEL BUTOR (1926–)

CHRONOLOGIE

1926   Né à Mons–en–Baroeul
1950–57   Enseigne en Angleterre, en Egypte et en Suisse
1954   *Passage de Milan*
1956   *l'Emploi du temps*
1957   *la Modification* (Prix Renaudot)
1958   *le Génie du lieu*
1960   *Degrés; Répertoire I* (essais de 1948 à 1959; Grand Prix de la Critique)
1962   *Mobile, étude pour un présentation des Etats-Unis*
1964   *Répertoire II* (1959–1963)
1965   *6.810.000 litres d'eau par seconde; étude stéréophonique*
1967   *Portrait de l'artiste en jeune singe, capriccio*
1968   *Répertoire III*

BIBLIOGRAPHIE

ALBÉRÈS, R. M. *Michel Butor.* Paris: Editions Universitaires, 1964.

BOISDEFFRE, P. DE. *Où va le roman?* Paris: Del Duca, 1962.

CARROUGES, MICHEL. «La Modification». *La Table Ronde,* No. 121 (janvier 1958), 138–140.

DEGUISE, PIERRE. «Butor et le nouveau roman». *The French Review,* Vol. XXXV, No. 2 (décembre, 1961), 155–162.

FROHOCK, WILBUR. «Introduction to Butor». *YFS,* No. 24 (1960), 54–61.

GUYARD, MARIUS. «Michel Butor». *Etudes,* Vol. 298 (septembre 1958), 227–237.

LEIRIS, MICHEL. «Le Réalisme mythologique de Butor». *Critique,* No. 129 (février 1958), 99–118.

ROUDAUT, JEAN. *Michel Butor ou le livre futur.* Paris: Gallimard, 1964.

ROUDIEZ, LEON. *Michel Butor.* New York: Columbia University Press, 1965.

ST. AUBYN, FREDERIC C. «Michel Butor and Phenomonological Realism». *Studi Francesi,* Torino, No. 16 (1962), 51–52.

ALBERT CAMUS   (1913–1960)

CHRONOLOGIE

1913 Né à Mondovi, Algérie

1937 *l'Envers et l'endroit*

1938 *Noces*

1940–44 Algérie et France: fait partie de la Résistance, rédacteur en chef du journal *Combat*

1942 *l'Etranger; le Mythe de Sisyphe*

1944 *Caligula; le Malentendu*

1947 *la Peste*

1948 *Lettres à un ami allemand; l'Etat de siège* (dramatisation de *la Peste*)

1950 *les Justes*

1951 *l'Homme révolté;* rupture avec Sartre

1956 *la Chute*

1957 *l'Exil et le royaume;* reçoit le Prix Nobel

1958 *Actuelles* (trois volumes de chroniques, 1939–58)

1960 Tué dans un accident d'automobile

1962 *Carnets* (mai 1935–février 1942)

1964 *Carnets* (1942–1951)

BIBLIOGRAPHIE

BRÉE, GERMAINE. *Camus.* New Brunswick, N. J.: Rutgers University Press, 1961.

————, éd. *Camus.* Englewood Cliffs, N.J.: Prentice–Hall, 1962. (Recueil d'essais critiques.)

BRISVILLE, J. C. *Camus.* Paris: Gallimard, 1961.

CHAMPIGNY, ROBERT. *Sur un héros païen.* Paris: Gallimard, 1959.

CRUICKSHANK, JOHN. *Camus and the Literature of Revolt.* New York: Oxford University Press, 1959.

HANNA, THOMAS. *The Thought and Art of Camus.* Chicago: Henry Regnery Co., 1958.

LEBESQUE, MORVAN. *Camus par lui-même.* Paris: Seuil, 1963.

LUPPÉ, ROBERT DE. *Albert Camus.* Paris: Editions Universitaires, 1952.

Nouvelle Nouvelle Revue Française, Vol. VIII, No. 87 (mars 1960).

PARKER, EMMETT. *Albert Camus: The Artist in the Arena.* Madison, Wisc.: University of Wisconsin Press, 1965.

Preuves, No. 110 (avril 1960).

QUILLIOT, ROGER. *La Mer et les prisons: Essai sur Albert Camus.* Paris: Gallimard, 1956.

RECK, RIMA D. «The Theater of Camus». *Modern Drama,* Vol. IV, No. 1 (mai 1961), 42–53.

La Table Ronde, No. 146 (février 1960).

THODY, PHILIP. *Albert Camus.* London: Hamish Hamilton, 1964.

Yale French Studies, No. 25 (1960).

BLAISE CENDRARS   (1887–1961)

CHRONOLOGIE

1887   Né à La chaux–de–Fonds, Suisse
1909   *la Légende de Novgorod*
1912   *les Pâques à New York*
1913   *la Prose du Transsibérien et de la Petite Jehanne de France*
1918   *le Panama ou les aventures de mes sept oncles*
1919   *Du monde entier*

1925   *l'Or*
1928   *Petits contes nègres pour les enfants blancs*
1929   *les Confessions de Dan Yack*
1930   *Rhum*
1938   *la Vie dangereuse*
1944   *Poésies complètes de Blaise Cendrars*
1945   *l'Homme foudroyé*
1946   *Rhapsodies gitanes*
1948   *Bourlinguer*
1949   *le Lotissement du ciel*
1957   *Trop c'est trop*

BIBLIOGRAPHIE

BUHLER, JEAN. *Blaise Cendrars.* Bienne, Suisse: Editions du Panorama, 1960.

FRANK, NINO, (éd.). *Blaise Cendrars.* Paris: Mercure de France, 1962.

LÉVESQUE, JACQUES-HENRY. *Blaise Cendrars.* Paris: Editions de la Nouvelle Revue Critique, 1947.

PARROT, LOUIS. *Blaise Cendrars.* Paris: Seghers, 1948.

ROUSSELOT, JEAN. *Blaise Cendrars.* Paris: Editions Universitaires, 1955.

RENÉ CHAR (1907–)

CHRONOLOGIE

1907   Né à L'Isle-sur-la-Sorgue
1934   *le Marteau sans maître* (poèmes surréalistes écrits de 1929 à 1934)
1937   Rompt avec les surréalistes
1940–44   Fait partie de la Résistance
1945   *Seuls demeurent*
1946   *Feuillets d'Hypnos*
1948   *Fureur et Mystère*
1950   *les Matinaux*
1951   *A une sérénité crispée*

1953 *Lettera Amorosa*
1955 *Recherche de la base et du sommet*
1957 *Poèmes et proses choisis; l'Une et l'Autre*
1958 *l'Escalier de Flore; Sur la poésie*
1959 *la Fausse Relève; Traverse; Nous avons*
1961 *l'Inclémence lointaine*
1962 *la Parole en archipel*

BIBLIOGRAPHIE

BLANCHOT, MAURICE. «René Char». *Critique,* octobre 1946.
————, CAMUS, MÉNARD, *et al. René Char's Poetry.* Rome: Botteghe Obscure, 1956.
LÉLY, GILBERT. *René Char.* Paris: Ed. Variétés, 1948.
GUERRE, PIERRE. *René Char* («Poètes d'aujourd'hui»). Paris: Seghers, 1961.
MOUNIN, GEORGES. *Avez-vous lu Char?* Paris: Gallimard, 1946.
RAU, GRETA. *René Char ou la poésie accrue.* Paris: José Corti, 1957.
RICHARD, J. P. «René Char ou la contradiction résolue». *Critique,* Nos. 183–184 (août-septembre 1962), 675–696.

ANDRÉ GIDE (1869–1951)

CHRONOLOGIE

1869 Né à Paris
1893 Voyage en Afrique du nord
1896 *Paludes*
1897 *les Nourritures terrestres*
1899 *le Prométhée mal enchainé*
1902 *l'Immoraliste*
1907 *le Retour de l'enfant prodigue*
1908 Un des fondateurs de la *Nouvelle Revue Française*
1909 *la Porte étroite*
1914 *les Caves du Vatican*
1919 *la Symphonie pastorale*
1926 *les Faux-Monnayeurs; Si le grain ne meurt*

1935   *Nouvelles Nourritures*
1939   *Journal, 1885–1939*
1946   *Thésée*
1947   Reçoit le Prix Nobel
1950   *Journal, 1942–1949*

BIBLIOGRAPHIE

BRÉE, GERMAINE. *André Gide: L'Insaisissable Protée.* Paris: Les Belles-Lettres, 1953.

DELAY, JEAN PAUL. *La Jeunesse d'André Gide.* 2 vol. Paris: Gallimard, 1956–57.

FAYER, MISHA. *Gide, Freedom and Dostoïevsky.* Burlington, Vt.: Lane Press, 1946.

FOWLIE, WALLACE. *André Gide: His Life and Art.* New York: Macmillan, 1965.

HOLDHEIM, W. W. *Theory and Practice of The Novel: A Study on André Gide.* Genève: Droz, 1968.

HYTIER, JEAN. *André Gide.* Paris: Charlot, 1946.

O'BRIEN, JUSTIN. *Portrait of Gide.* New York: Knopf, 1953.

Nouvelle Nouvelle Revue Française, 1952.

PIERRE-QUINT, LÉON. *André Gide.* Paris: Stock, 1952.

Yale French Studies, No. 7 (1951).

HENRY DE MONTHERLANT   (1896–)

CHRONOLOGIE

1896   Né à Paris
1922   *le Songe*
1924   *les Olympiques*
1926   *les Bestiaires;* quitte la France pour vivre en Espagne et en Afrique jusqu'en 1935
1927   *Aux fontaines du désir*
1929   *la Petite Infante de Castille*
1932   *Mors et Vita*

1934 *les Célibataires*
1935 *Service inutile*
1936 *les Jeunes Filles*
1937 *le Démon du bien*
1938 *l'Equinoxe de septembre*
1939 *les Lépreuses*
1941 *le Solstice de juin*
1942 *le Reine morte*
1944 *Fils de Personne ou Plus que le sang*
1946 *Malatesta*
1947 *le Maître de Santiago*
1951 *la Ville dont le prince est un enfant*
1953 *Textes sous une occupation*
1954 *Port-Royal; l'Histoire d'amour de la rose de sable*
1956 *les Auligny*
1957 *Carnets*
1958 *Don Juan*
1960 *le Cardinal d'Espagne;* élu à l'Académie Française
1965 *la Guerre civile*
1966 *Va jouer dans cette poussière* (carnets 1958–1964)
1968 *la Rose de sable*

BIBLIOGRAPHIE

BORDONOVE, GEORGES. *Henry de Montherlant.* Paris: Editions Universitaires, 1954.

CRUICKSHANK, JOHN. *Montherlant.* Edinburgh: Oliver & Boyd, 1964.

FAURE-BIGUET. *Montherlant, homme de la Renaissance.* Paris: Henri Lefebvre, 1948.

LAPRADE, JACQUES DE. *Le Théâtre de Montherlant.* Paris: Jeune Parque, 1950.

MOHRT, MICHEL. *Montherlant homme libre.* Paris: Gallimard, 1943.

NÉRIEL, E. *Henry de Montherlant: son œuvre.* 1936 (s. l.).

SAINT-PIERRE, MICHEL DE. *Montherlant, bourreau de soi-même.* Paris: Gallimard, 1949.

SIMON, P. H. *Procès du héros.* Paris: Seuil, 1950.

SIPRIOT, PIERRE. *Montherlant par lui-même.* Paris: Seuil, 1953.

La Table Ronde, No. 155 (novembre 1960).

CHARLES PÉGUY   (1873–1914)

CHRONOLOGIE

1873   Né à Orléans
1900   Fonde les *Cahiers de la quinzaine*
1905   *Notre Patrie*
1909   *A nos amis, à nos abonnés; le Mystère de la Charité de Jeanne d'Arc*
1910   *Notre Jeunesse*
1912   *le Porche du mystère de la deuxième vertu; le Mystère des Saints Innocents; Tapisserie de sainte Geneviève*
1913   *Tapisserie de Notre-Dame*
1914   *Eve;* mort à la guerre

BIBLIOGRAPHIE

Cahiers de l'amitié Charles Péguy, de 1947 au présent.

CHAVANON, ALBERT. *La Poétique de Péguy.* Paris: Robert Laffont, 1947.

GUYON, B. *L'Art de Péguy.* Paris: Cahiers de l'amitié Charles Péguy, 1960.

NELSON, ROY JAY. *Péguy poète du sacré.* Paris: Cahiers de l'amitié Charles Péguy, 1960.

ROUSSEAUX, ANDRÉ. *Le Prophète Péguy.* 3 vol., Neuchâtel: La Baconnière, 1942–47.

SECRÉTAIN, ROGER. *Péguy, Soldat de la liberté.* Paris: Robert Laffont, 1956.

JEAN-PAUL SARTRE   (1905–)

CHRONOLOGIE

1905   Né à Paris
1929   Agrégé de philosophie
1936   *l'Imagination*

1938   *la Nausée*
1939   *Esquisse d'une théorie des émotions; le Mur*
1940   *l'Imaginaire*
1943   *l'Etre et le Néant; les Mouches*
1945   *Huis clos; l'Age de raison; le Sursis;* fonde *les Temps modernes*
1946   *Morts sans sépulture; la Putain respectueuse; l'Existentialisme est un humanisme*
1947–1965   *Situations* I à VII
1948   *les Mains sales*
1951   *le Diable et le bon Dieu*
1960   *les Séquestrés d'Altona; Critique de la raison dialectique*
1964   *les Mots*

BIBLIOGRAPHIE

ALBÉRÈS, R. M. *Jean-Paul Sartre*. Paris: Editions Universitaires, 1953.

CAMPBELL, ROBERT. *Sartre ou une littérature philosophique*. Paris: Ardent, 1945.

DESAN, WILFRID. *The Marxism of Jean-Paul Sartre*. Garden City, N. Y.: Doubleday, 1965.

———. *The Tragic Finale: An Essay on the Philosophy of Jean-Paul Sartre*. Cambridge, Mass.: Harvard University Press, 1954.

JAMESON, FRED. *Sartre. The Origins of a Style*. New Haven, Conn.: Yale University Press, 1961.

JEANSON, FRANCIS. *Le Problème moral et la pensée de Sartre*. Paris: Myrte, 1947.

———. *Sartre par lui-même*. Paris: Seuil, 1955.

MANSER, ANTHONY. *Sartre: A Philosophical Study*. London: Athlone Press, 1966.

MURDOCH, IRIS. *Sartre: Romantic Rationalist*. New Haven, Conn.: Yale University Press, 1953.

THODY, PHILIP. *Jean-Paul Sartre. A Literary and Political Study*. London: Hamish Hamilton, 1964.

Yale French Studies, No. 1 (1949); No. 16 (1956); No. 29 (1964). (Numéros spéciaux consacrés à Sartre ou à l'existentialisme.)

PAUL VALÉRY   (1871–1945)

CHRONOLOGIE

1871   Né à Sète
1892   Fait la connaissance de Mallarmé; écrit des poèmes symbolistes
1895   *Introduction à la méthode de Léonard de Vinci*
1917   *la Jeune Parque*
1920   *le Cimetière marin; Album de vers anciens*
1922   *Charmes;* élu à l'Académie Française
1923   *Eupalinos, ou l'Architecte précédé de l'Ame et la Danse*
1924–44   *Variétés* (cinq volumes)
1927   *Monsieur Teste*
1934   *l'Idée fixe*
1936   *Pièces sur l'art*
1939   *Conférences*
1945   *Regards sur le monde actuel et autres essais*
1946   *Mon Faust* (ébauches)
1957–61   *Cahiers*

BIBLIOGRAPHIE

BÉMOL, MAURICE. *La Méthode critique de P. Valéry.* Paris: Les Belles Lettres, 1950.

BOLLE, LOUIS. *Paul Valéry.* Genève: A. Kundig, 1944.

HYTIER, JEAN. *La Poétique de Valéry.* Paris: Armand Colin, 1953.

LAFONT, AIMÉ. *Paul Valéry, l'homme et l'œuvre.* Marseille: J. Vigneau, 1943.

LAWLER, JAMES. *Lecture de Valéry; une étude de Charmes.* Paris: Presses Universitaires, 1963.

NOULET, E. *Paul Valéry.* Bruxelles: La Renaissance du livre, 1951.

MACKAY, AGNES. *The Universal Self; a Study of Paul Valéry.* London: Routledge, 1961.

POMMIER, JEAN. *Paul Valéry et la création littéraire.* Paris: Encyclopédie française, 1946.

ROBINSON, JUDITH. *L'Analyse de l'esprit dans les Cahiers de Valéry.* Paris: J. Corti, 1963.

SCARFE, F. *The Art of Paul Valéry. A Study in Dramatic Monologue.* London: William Heinemann, 1954.

SUCKLING, NORMAN. *Paul Valéry and the Civilized Mind.* New York: Oxford University Press, 1954.

THIBAUDET, ALBERT. *Paul Valéry.* Paris: Grasset, 1923.

WALZER, PIERRE O. *La Poésie de Paul Valéry.* Genève: Cailler, 1953.

Glossaire des noms

Le glossaire des noms ne comprend pas les noms que nous estimons déjà connus du lecteur.

Asakov, Ivan Serguiéievitch (1823–1886), publiciste russe. Editeur de plusieurs publications à tendance démocratico-panslaviste. Après 1880 il rédige le recueil hebdomadaire *Rouss* où il guerroie avec le libéralisme pétersbourgeois.

Barrès, Maurice (1862–1923), écrivain français. Dans plusieurs de ses romans tels que *les Déracinés, la Colline inspirée*, il préconise le culte de la terre et des morts et manifeste un nationalisme intense.

Bergson, Henri (1859–1941), philosophe français. Auteur de: *Essai sur les données immédiates de la conscience, Matière et mémoire.* Son système repose sur l'intuition des données de la conscience dégagées de l'idée d'espace et de temps.

Bielinski, Vissarion Grigoriévitch (1811–1848), philosophe et critique littéraire russe. Il lutta pour imposer la doctrine du réalisme et pour anéantir les tenants de «l'art pour l'art».

Blanchot, Maurice (1907–), romancier et critique littéraire français. Auteur de: *Thomas l'obscur, la Part du feu, l'Espace littéraire.*

Boileau-Despréaux, Nicolas (1636–1711), poète et critique français. Dans son *Art poétique* il rejette la littérature d'avant Malherbe et définit le classicisme en littérature comme une imitation de la nature fondée sur les modèles des écrivains classiques et sur la raison.

Bornibus. Une marque célèbre de moutarde.

Borrow, George (1803–1881), écrivain anglais. Poussé par son goût du voyage, il visita plusieurs pays à titre d'agent de la English and Foreign Bible Society. *La Bible en Espagne* est un récit pittoresque de ses aventures en Espagne et au Portugal.

Brantôme, Pierre de Bourdeilles, seigneur de (1535–1614), mémorialiste français. Auteur des *Vies des hommes illustres, Vies des dames galantes.*

Braque, Georges (1882–1963), peintre français. Un des promoteurs du cubisme, il est célèbre par ses natures mortes.

Buffon, Georges-Louis-Leclerc, comte de (1707–1788), naturaliste et écrivain français. Auteur de *l'Histoire naturelle.*

Carroll, Lewis, pseud. de Charles Lutwidge Dodgson (1832–1898), écrivain anglais. Auteur d'*Alice au pays des merveilles* et de sa suite, *A travers le miroir.* Bien que ces deux ouvrages soient destinés aux enfants, on peut y voir une peinture de l'absurdité et de la cruauté de l'existence.

Casanova de Seingalt, Giovanni Giacomo (1725–1798). Aventurier italien célèbre par ses exploits romanesques et galants, qu'il a contés dans ses *Mémoires.*

Comte, Isidore-Auguste-François-Marie (1798–1857), mathématicien et philosophe français. Dans son *Cours de philosophie positive* il a fondé le positivisme, où il rejette tout ce qui ne peut pas être constaté par l'expérience et pose la loi des trois états des sociétés d'Occident: théologique, métaphysique, positif.

Courbet, Gustave (1819–1877), peintre français, chef de l'école réaliste.

Curie, Pierre (1859–1906), Marie (1867–1934), physiciens et chimistes français. On leur doit la découverte du radium.

D'Annunzio, Gabrièle (1863–1938), écrivain italien. Auteur de romans, *le Triomphe de la mort, l'Enfant de volupté,* de drames et de poésie. Dans son œuvre il exalte les passions fortes et l'individualisme.

Daumier, Honoré (1808–1879), peintre et sculpteur français. Connu surtout par ses caricatures politiques et sociales.

Delacroix, Eugène (1798–1863), peintre français, chef de l'école romantique.

Descartes, René (1596–1650), philosophe, mathématicien et physicien français. Auteur de: *Discours sur la méthode, Méditations métaphysiques, Principes de la philosophie.* Il fonda la métaphysique moderne et développa une méthode scientifique de diriger la raison.

Euler, Leonhard (1707–1783), mathématicien suisse. Auteur d'un *Traité de mécanique* et d'importants mémoires sur les trajectoires et sur les séries.

Ferrero, Guglielmo (1871–1943), sociologue et historien italien. Auteur de *Grandeur et décadence de Rome.*

François d'Assise, saint (1182–1226), fondateur de l'ordre monastique des Franciscains. *Les Fioretti,* anthologie des actes et des miracles accomplis par saint François ainsi que par ses compagnons, conservent les traits de sa légende.

Gaboriau, Emile (1832–1873), romancier français. Père du roman judiciaire et policier; auteur de *Monsieur Lecoq.*

Gautier, Théophile (1811–1872), poète et romancier français. D'abord associé avec les romantiques, il s'orienta vers une poésie plus soucieuse de la beauté formelle. Dans le recueil *Emaux et camées,* on voit se développer une esthétique de l'art pour l'art.

George, Stefan (1868–1933), poète allemand. Auteur d' *Hymnes* et de *Pèlerinages,* où se révèle l'influence des symbolistes français.

Gontcharov, Ivan (1812–1891), romancier russe. Auteur du roman *Oblomov.*

Guyon, Jeanne-Marie Bouvier de la Motte, Mme (1648–1717), mystique française. Elle a répandu en France la doctrine quiétiste, doctrine mystique qui fait consister la perfection chrétienne dans l'amour de Dieu et dans l'inaction de l'âme.

Haller, Albert von (1708–1777), physiologiste suisse. Auteur d'importants ouvrages sur les propriétés des tissus et sur divers aspects de la botanique. Il fut aussi poète: *Essai de poèmes suisses, les Alpes.*

Hegel, Georg Wilhelm Friedrich (1770–1831), philosophe allemand. Auteur de: *la Phénoménologie de l'esprit, la Science de la logique.* Hegel identifie le réel et le rationnel, l'être et la pensée, qui se fondent en un principe unique et universel: l'idée.

Henri III (1551–1589), roi de France de 1574 à 1589.

Henri IV, le Grand (1553–1610), roi de Navarre sous le nom de Henri III (1572–1610) et de France de 1589–1610. Fils d'Antoine de Bourbon, duc de Vendôme, et de Jeanne III d'Albret, reine de Navarre, en 1589 il fut reconnu par Henri III, roi de France, comme l'héritier légitime du trône et prit le nom de Henri IV.

Hérodote (vers 480–vers 425 av. J.-C.), historien grec. Auteur des *Histoires,* où il raconte les événements légendaires et véridiques à propos de l'opposition entre le monde barbare et le monde grec.

Hoffmann, Ernst Theodor Amadeus (1776–1822), romancier et musicien allemand. Auteur des *Contes fantastiques,* où se mêlent la fantaisie et l'observation précise.

Hölderlin, Friedrich (1770–1843), poète allemand. Auteur de plusiers recueils d'*Hymnes* et d'un drame, *la Mort d'Empédocle.* Hölderlin exalte la jeunesse et la communion avec la nature. Dans ses derniers poèmes il pleure un monde abandonné par les dieux.

Hughes, Richard Arthur Warren (1900–), romancier anglais. Auteur d'*Un Cyclone à la Jamaïque* et du *Renard dans le grenier.*

Hume, David (1711–1776), philosophe et historien anglais. Auteur d'un *Traité sur la nature humaine,* des *Essais sur l'entendement humain* et d'une *Histoire de l'Angleterre.* Selon la philosophie de Hume, les principes rationnels ne sont pas innés et le moi n'est qu'une collection d'états de conscience.

Ibsen, Henrik (1828–1906), dramaturge norvégien. Auteur de drames à tendances philosophiques et sociales: *Peer Gynt, la Maison de poupée, le Canard sauvage,* etc.

Ingres, Dominique (1780–1867), peintre français. Ingres se voulait peintre classique mais on trouve dans sa peinture maintes traces du romantisme qu'il abhorrait chez son rival Delacroix.

Joseph de Coupertine, saint (1603–1663). Selon la légende, pendant ses moments de méditation parfois il restait suspendu en l'air.

Kafka, Franz (1883–1924), écrivain tchèque d'expression allemande. Auteur de: *le Procès, la Métamorphose, le Château.* A travers un réalisme souvent minutieux Kafka décrit le drame cauchemaresque de l'homme aliéné de lui-même et de Dieu.

Kant, Emmanuel (1724–1804), philosophe allemand. Auteur de la *Critique de la raison pure* et du *Fondement de la métaphysique des mœurs.* Selon Kant, les choses nous sont connues comme *phénomènes,* données dans l'espace et dans le temps. En tant que choses en soi, *noumènes,* elles sont inconnaissables.

Kierkegaard, Sören Aabye (1813–1855), philosophe et théologien danois. Auteur de: *Ou bien, ou bien, Crainte et tremblement, le Journal d'un séducteur.* Kierkegaard oppose au rationalisme le culte de la subjectivité et de l'individualité. Selon lui l'existence doit être dépassée pour aboutir à la foi.

La Bruyère, Jean de (1645–1696), écrivain et moraliste français. Auteur des *Caractères,* où au moyen de maximes et de portraits il peint les mœurs de son temps.

Lautréamont, comte de, pseud. d'Isidore Lucien Ducasse (1846–1870), écrivain français. Auteur d'une sorte d'épopée en prose, *les Chants de Maldoror.* Il s'agit d'une rébellion contre Dieu où le poète célèbre la malfaisance du créateur aussi bien que la cruauté et la violence d'un monde où prévaut le règne animal.

Lavater, Jean-Gaspard (1741–1801), philosophe, poète, orateur et théologien protestant suisse. Auteur de deux mémoires sur la physiognomonie, système qu'il a inventé: *l'Art d'étudier la physionomie* et *Fragments physiognomoniques.*

Leconte de Lisle, Charles (1804–1869), poète français. Auteur des *Poèmes antiques* et des *Poèmes barbares.* Chef de l'école parnassienne, Leconte de Lisle voulait faire une poésie exacte et impersonnelle pour mettre fin aux excès du romantisme.

Linné, Carl von (1707–1778), naturaliste suédois. Il a donné une classification des plantes et une classification du règne animal.

London, Jack (John Griffith) (1876–1916), écrivain américain. On lui doit de nombreux romans d'aventures dont: *l'Appel de la forêt, Crocblanc.*

Manet, Edouard (1832–1883), peintre français. Un des premiers et des plus célèbres impressionnistes.

Marc Aurèle (121–180), empereur romain de 161 à 180. Auteur de *A soi-même,* recueil de maximes stoïciennes.

Metternich-Winneburg, Klemens Lothar Wenzel, prince de (1773–1859), homme d'état autrichien. Après la chute du 1er Empire français il devint, par la constitution de la Sainte-Alliance, l'arbitre de l'Europe et s'efforça de maintenir l'absolutisme dans les états européens. Il présida au Congrès de Vienne.

Michelet, Jules (1798–1874), historien français. Auteur de *l'Histoire de France, l'Histoire de la Révolution.* Il voulait faire une résurrection intégrale du passé. Pour lui l'histoire est le récit de la libération progressive de l'humanité.

Montalembert, Charles-Forbes-René, comte de (1810–1870), publiciste, historien et orateur français. Associé avec Lamennais et Lacordaire, il fut un partisan du catholicisme libéral.

Nadar, Félix Tournachon, dit (1820–1910), artiste et littérateur français. Il ouvrit un atelier de photographie, et fit paraître sous le titre de *Panthéon Nadar* une galerie de portraits de célébrités contemporaines.

Nerval, Gérard Labrunie, dit Gérard de (1808–1855), poète et romancier français. Dans ses *Filles du feu*, recueil de nouvelles dont les plus importantes sont *Sylvie* et *Aurélia*, accompagné d'une suite de sonnets *les Chimères*, Nerval révèle un monde symbolique mystérieux, impregné par le rêve. Atteint lui-même par des crises de délire, il se donna la mort en se pendant.

Nietzsche, Friedrich (1844–1900), philosophe allemand. Auteur de: *Ainsi parlait Zarathustra, le Gai Savoir, la Naissance de la tragédie.* Dans la philosophie de Nietzsche l'homme s'élève jusqu'au surhomme en fondant une nouvelle morale sur l'individualisme et sur la volonté de puissance.

Odon (saint), abbé de Cluny (879–942), réformateur de l'ordre de saint Benoît. On a de lui des *sermons*, des *hymnes* et un abrégé des *Morales* du pape saint Grégoire sur Job.

Parmentier, Antoine-Augustin (1737–1813), agronome et économiste français. Il développa en France la culture de la pomme de terre.

Pater, Walter Horatio (1839–1894), écrivain anglais. Auteur du roman philosophique, *Marius l'Epicurien.*

Poe, Edgar Allan (1809–1849), écrivain américain. Auteur de poèmes, «Le Corbeau,» de contes, *la Chute de la maison d'Usher, le Cœur révélateur,* et d'ouvrages sur l'esthétique, *Théorie de la composition.* L'œuvre de Poe est marquée par le goût du bizarre et du mystérieux et par le souci de créer une atmosphère d'épouvante. Poe se révèle en même temps très soucieux de la forme. Il croit que le poète doit se méfier de l'inspiration et se laisser guider uniquement par la recherche du Beau.

Pouchkine, Alexandre (1799–1837), écrivain russe. Auteur de poèmes, *Roussian et Ludmille;* de drames, *Boris Goudonov,* et de romans, *Eugène Oniéguine.*

Properce (vers 47–vers 15 av. J.-C.), poète latin. Auteur de quatre livres d'*Elégies.*

Quinton, René (1867–1925), physiologiste et essayiste. Il développa une méthode permettant d'utiliser l'eau de mer stérilisée et ramenée à la concentration moléculaire du plasma humain pour rétablir l'équilibre des sels minéraux et de l'eau chez les nourrissons atteints de troubles digestifs souvent mortels.

Renan, Ernest (1823–1892), historien et philosophe français. Auteur des *Origines du christianisme* et de l'*Avenir de la science.* Pour Renan la grande œuvre de l'humanité doit être la science car selon lui elle nous délivre de l'ignorance et de l'erreur et nous conduit vers l'Idéal qui est l'Esprit, la conscience du monde.

Ribot, Théodule-Armand (1839–1916), psychologue français. Auteur de: *les Maladies de la mémoire, les Maladies de la volonté.* Il a renouvelé les recherches psychologiques expérimentales et à certains points de vue est un précurseur de Freud.

Sade, Donatien-Alphonse-François, marquis de (1740–1814), écrivain français. Auteur de romans, contes, et nouvelles, connu surtout par ses romans dont *Justine, la Philosophie dans le boudoir,* où l'on trouve une psychopathologie de l'érotisme et souvent une grande obscénité mais aussi de brillantes dissertations morales et métaphysiques.

Sainte-Beuve, Charles-Augustin (1804–1869), écrivain français, connu surtout comme critique littéraire. Auteur de *Portraits littéraires, Causeries du lundi.* Fondateur de la critique littéraire moderne française, il mit l'accent sur le génie propre de l'écrivain.

Schopenhauer, Johanna (1770–1838), romancière allemande. Auteur de divers romans dont le meilleur est *Gabrielle.*

Sénèque, Lucius Annæus (vers 2–65), écrivain latin. On lui doit des traités de philosophie morale inspirés de la doctrine stoïcienne, *Lettres à Lucilius, Dialogue sur la brièveté de la vie* et des tragédies, *Médée, Phèdre.*

Sévigné, Marie de Rabutin-Chantal, marquise de (1626–1696), écrivain français. Célèbre par les lettres qu'elle écrivit à sa fille et à d'autres correspondants, où l'on trouve d'intéressants détails de l'époque évoqués dans un style frais et vif.

Signorelli, Luca (1445–1523), peintre italien de l'école florentine.

Spinoza, Baruch (1632–1677), philosophe hollandais. Auteur du *Tractatus theologico-politicus* et d'une *Ethique.* Selon Spinoza, Dieu est une substance constituée par une infinité d'attributs dont nous ne connaissons que deux: la pensée et l'étendue. Le monde est l'ensemble des modes de ces deux attributs.

Stevenson, Robert-Louis Balfour (1850–1894), écrivain anglais. Auteur de romans d'aventures: *l'Ile au trésor, Enlevé, le Cas étrange du D*^{r} *Jekyll et de Mr. Hyde.*

Strakhov, Nikolai Ivanovitch (1828–1896), publiciste, critique et philosophe idéaliste russe. Il fut un ami et un collaborateur de Dostoievsky et devint son biographe. Il a publié des *Souvenirs* sur le romancier.

Swinburne, Charles (1837–1909), poète anglais. Dans ses *Poésies et Ballades* et *Chants d'avant l'aube* il continua la tradition romantique: le mythe de la femme fatale et le poète apôtre des peuples opprimés.

Taine, Hippolyte (1828–1893), philosophe, historien, et critique français. Auteur de: *Histoire de la littérature anglaise, Origines de la France contemporaine.* Selon lui, les faits historiques aussi bien que les œuvres littéraires s'expliquent par la triple influence de la race, du milieu, et du moment.

Talleyrand-Périgord, Charles-Maurice de (1754–1838), diplomate français. Homme cynique et spirituel, il joua un rôle brillant au Congrès de Vienne, où il sauva et l'honneur et le territoire de la France.

Thalès (vers 640–vers 547 av. J.-C.), philosophe et mathématicien grec de l'école ionienne.

Tolstoï, Léo (1828–1910), romancier russe. Auteur de *la Guerre et la paix* et *Anna Karénine.* A travers sa peinture de l'histoire et des mœurs russes Tolstoï cherche à retrouver la charité du christianisme primitif.

Tourguéniev, Ivan (1818–1883), romancier russe. Auteur de *Récits d'un chasseur, Pères et enfants.* Il excelle dans la peinture de la vie populaire russe.

T'Serstevens, Albert (1886–), écrivain français. Auteur de romans, *les Corsaires du roi, la Grande Plantation* et de livres de voyage, *l'Itinéraire de Yugoslavie, l'Itinéraire espagnole.*

Tzara, Tristan (1896–1963), écrivain français d'origine roumaine. Créateur à Zürich, en 1916, du groupe dada. Auteur de: *Vingt-cinq poèmes, De nos oiseaux, Cœur à gaz.* L'œuvre de Tzara est marquée par un lyrisme qui repose sur un chaos verbal et sur une volonté de destruction de la logique.

Verne, Jules (1828–1905), romancier français. Auteur de romans d'aventures: *Vingt Mille lieues sous les mers, le Tour du monde en 80 jours,* où l'anticipation scientifique joue un grand rôle.

Villiers de l'Isle-Adam, Auguste, comte de (1838–1889), écrivain français. Auteur des *Contes cruels,* nouvelles qui révèlent le goût de l'occulte et du fantastique.

Vogüé, Eugène Melchior, vicomte de (1848–1910), littérateur français. Auteur d'une étude sur *le Roman russe* qui contribua à révéler aux Français les auteurs russes du XIXe siècle.

Vocabulaire

Nous avons éliminé de ce vocabulaire les 2000 premiers mots qui figurent dans le *Word Frequency Dictionary* (compilé par Helen S. Eaton, New York: Dover Publications, 1961), ainsi que tous les mots dont la forme et le sens sont suffisamment proches de l'anglais pour être compris facilement. La traduction donnée ici pour chaque mot s'applique strictement aux essais de ce volume et ne saurait, dans bien des cas, être utilisée pour d'autres textes.

abattre to depress
abréger to abbreviate
abrutir to stupefy
abstenir, s' to abstain from
accaparer to seize, capture
accès m. attack, fit
accrocher to hook, catch
acharner, s' to launch into
acheminer to direct, dispatch
achèvement m. completion
à-coup m. jerk
advenir to happen, befall
affaiblir, s' to grow weak
afficheur m. poster painter
affreusement terribly

agaçant irritating
aïeul m. grandfather
aigu pointed
alentour around
aliment m. food, nourishment
alimenter to feed, nourish
alléger, s' to grow lighter
aller, cela va de soi that is obvious
alourdir, s' to become heavy
amateur m. enthusiast, devotee
aménager to arrange
amollir, s' to become soft
amorcer to begin
ancrer to anchor
âne, en dos d'— ridged

antérieur previous
apaiser, s' to grow still
aplati flattened
appareiller to get under way (ship)
appauvrir to impoverish
appel m. summons; **faire — à** to appeal to
apport m. a thing brought
apprentissage m. apprenticeship
approfondir to examine thoroughly
approfondissement m. deepening
âpre harsh
arbitre m., **libre —** free will
arc-en-ciel m. rainbow
ardu arduous
arête f. angle of intersection
armature f. frame
armillaire circular
arrêté fixed, determined
arrière-pensée f. ulterior motive
as m. ace; **sauter à l' —** to fail, collapse
asile m. asylum
assaillir to attack
asservir to enslave
assorti matched
assoupir, s' to doze off
assourdir to deaden, muffle
attarder, s' to linger
atteler to harness
atterrir to land
avantageux presumptuous
avènement m. advent
aveu m. confession
aveugle blind
aveuglement m. blindness

bâbord m. port side
bagne m. convict prison
baguette f. rod
baigner to bathe

baiser to kiss
baliser to mark out (a channel)
balle f. bullet
ballonner to balloon out, swell
banlieue f. suburbs
barrer to cross out
basse-cour f. poultry-yard
bâter to put a packsaddle, a load, on a beast of burden
bave f. froth, slaver
beau, avoir — faire quelque chose to do something to no avail or in vain
bégaiement m. stammering
bélier m. battering ram
belle, de plus — more, worse than ever
bercer to lull, delude
bergère f. easy chair
bête, reprendre du poil de la — to take a hair of the dog that bit one
beugler to bellow
biais m. slant; **de —** slantwise
bibelot m. curio
bien, tant — que mal somehow or other, after a fashion
bienveillance f. kindness, good will
avec — favorably
bienvenue f. welcome
biffer to cross out
bijou m. jewel
bille f. marble, ball bearing
blé m. wheat
bled m. back country
bois m. pl. antlers
bord m. board, edge; **journal de —** ship's log; **tableau de —** dashboard
boucler to buckle, loop; **— la boucle** to loop the loop, close the circle
bouillon m. bubble (given off by boiling liquid); **sortir à gros —s** to come gushing out

bouillonner to boil up
boulot m. work
bourbier m. mire
bourdonnement m. buzzing
bourse f. scholarship
boursoufler to puff up
boussole f. compass
bout m. end, extremity; être à — to
  be at the breaking point
branle m. impulse; mettre quelque
  chose en — to set something going
briser to break
brosser to brush
brouillard m. fog
bruissant murmuring
brûler to burn
brume f. haze
bruyant noisy
bûcher m. pile of faggots
buée f. vapor
buisson f. bush
buvard m. blotter

cabrer, se to jib at, to rear
cachot m. cell, prison
cafard m. hypocrite
cahot m. bump
caillou m. pebble, stone
calotte f. skullcap
camion m. truck; — citerne tank-
  truck
camper to place
caoutchouc m. rubber
cap m. head; mettre le — sur to
  head for
capote f. hood
carrosserie f. body of a car
casquette f. cap
cause f., en connaissance de — with
  full knowledge
cercueil m. coffin

cerf m. deer
champêtre rural; garde — rural
  policeman
chantier m. construction site
chapiteau m. capital (of column)
chassé-croisé m. "set to partners"
  (dancing), futile maneuver
chasseur m. hunter
chatouiller to tickle (someone,
  someone's vanity, etc.)
chatoyant iridescent
chauffe f., chambre de — stokehold
chaussée f. road
cheminement m. covered approach
  (military)
cheminer to walk
chevet m. head of the bed
chic m. skill, knack; écrire quelque
  chose de — to toss off
chichement stingily
chimique chemical
chinoiserie f. fuss
chique f. jigger
chœur m. choir
chômeur m. idle workman
cime f. height, summit
cingler to sail
cireux waxy
citer to quote
citerne f. cistern
clapoter to plash
claquer to bang
cocotier m. coconut palm
cogner to knock
coller to correspond
comble m. top, height
combler to fill to overflowing
comédien m. actor
commande f. order; sur —
  commissioned, to order
compte m. account

concours m. competition, meeting
conduite-intérieure f. saloon car
confondre to confuse
connerie f. stupidity
connexe connected
consacré accepted; — par l'usage accepted through usage
contraindre to force
coque f. hull
coqueter to coquet, attempt to please in a facile and somewhat vain manner
coquille f. shell
cordage m. rope
corde f., prendre un virage à la — to cut a corner close
cordon-bleu m. first-rate cook
côte f. hill
couloir m. passage, corridor
coûter, coûte que — at any price
cramponner, se to cling
cran m. notch
crâne m. skull
creux hollow
crevaison f. flat (of a tire)
crever to burst, die
crinière f. mane
croquer to sketch
cuirasse f. armor
cuirassé m. battleship
cuisse f. drumstick
cuisson f. cooking, baking

débarasser, se to get rid of, clear
déborder to overflow
débrouiller to unravel, disentangle
débusquer to drive out from under cover
décalage m. gap
déchiffrer to decipher
déchiqueté mangled

déchu fallen
déclassé m. one who has come down in the world
décoller to take off
décontenancé confused
décroire to disbelieve
décupler to increase tenfold
défaut m. deficiency, lack; **faire** — to be lacking
défiler to walk in procession
défiler, se to get out of line
dégrossir to rough out
délaissement m. abandonment
délassement m. relaxation
démarche f. step
démarrer to start (off)
démêler to distinguish from, discern
dément m. lunatic
démentir, se to contradict oneself
démesuré excessive
démunir to strip
dénouer, se to end (of a plot)
dépareillé odd, unmatched
dépasser to surpass, go beyond
dépouiller to strip
dépourvu lacking
déraciner to uproot
derechef once more
dérive f. drift; **en** — adrift
dériver to drift
désœuvré idle, unoccupied
dessécher to dry up
dessein m. purpose, plan
dessous beneath
détaler to decamp
détraquer, se to get out of order, go to pieces
détritus m. refuse
détromper to undeceive
deuil m. grief, mourning
dévoilement m. revelation

dévoiler, se to come to light
diluer to dilute
disloquement m. (state of) dislocation
dossier m. back (of chair)
doué gifted, endowed
dureté f. harshness, severity

ébahissement m. amazement
ébaucher to outline, to make a rough sketch, draft
éblouissant dazzling
éblouissement m. resplendance
écailleux scaly
écartèlement quartering (of a criminal, an animal, etc.)
écarteler to quarter
écarter to put aside
échassier m. stilt-bird, wader
échauffer to heat, inflame
échelle f. range, scale
échouer to fail, run aground
éclaircir to clear up
éclairé enlightened
éclatant brilliant
éclatement m. blowout
écorcher to skin
écraser to crush
écrevisse f. crayfish
écrin m. jewel case
écroulement m. collapse
écrouler, s' to fall to pieces
écume f. foam
écurer to pick clean
écureuil m. squirrel
effaroucher, s' to be shocked, blush at
effectuer to carry out, accomplish
effeuiller to thin out the leaves of (fruit tree)
effleurer to skim

efforcer, s' to try hard
égrener, s' to fall away
éluder to evade
embouteiller to block up
emboutissage m. collision
embrayer to engage (gear)
embrouiller, s' to get tangled
embusquer to station in ambush
émerveiller to astonish
emmailloter to swathe
émoi m. emotion
emparer, s' to take possession of
empâter to cram (fowl), coat
empire m. authority, hold
empirer to become worse
emplir to fill
emporter, l' — sur to triumph over; **s' —** to get angry
empreinte f. impression
emprunté awkward
emprunter to borrow; to take or make use of
encablure f. cable's length (= one tenth of a nautical mile = 185 m. 2)
encre f. ink
encroûter to encrust
endosser to don
énervé unstrung
engeance f. breed, species
engloutir to devour
enorgueillir, s' to be proud of, glory in
enserrer to enclose
entassement m. heap
entendement m. understanding
entente f. understanding
enterrement m. burial
entêtant oppressive
entraînement m. urge, impulse
entreprendre to undertake

entretenir, s' to converse
envers m. reverse, wrong side
envoûter to bewitch
épaisseur f. thickness, density
épancher to pour out; **s'—** to unburden oneself
éparpillement m. scattering
éparpiller, s' to scatter
épave f. derelict
éprendre, s' to fall in love
épreuve f. galley proof
épris in love with
épurer to scrub, clean
équipage m. carriage and horses
équipée f. escapade
errer to wander
escroquer to swindle
essence f. gasoline
étaler to display
étape f. stage
étendue f. range, extent
étiqueter to label
étoffe f. cloth
étourdi dizzy
étrave f. stem (of ship)
évader, s' to escape
évanouir, s' to vanish
évaser, s' to widen out at the mouth
évidence f. conspicuousness; **mettre en —** to place in a prominent position
exigence f. requirement
exiger to require
expérience f. experiment

fada m. simpleton
faillir to fail, be on the point of
fainéant idle, lazy
faire, n'avoir que — de to have no use for
fait, tout — ready-made

falloir, s'en to be lacking
fardeau m. burden
farouche wild
fastueux ostentatious
fatalement inevitably
fatidique fateful
fatras m. jumble
faufiler, se to sneak in
ferme a great deal
ferraille f. scrap iron
ficher to stick into
figé congealed, set
figure, faire — de to play the part of
figurer, se to imagine
filer to move, go along
flairer to scent
flexion f. inflection
flot m. wave; **à — s** in torrents
foie m. liver
foin bah!; **— de** a fig for
foisonnement m. abundance
foncer to forge ahead; **se —** to grow darker
fondre to melt
fondrière f. bog
fonds m. assets
forçat m. galley slave, convict
forcéné frenzied, furious
former to school
fosse f. grave
fougère f. fern
fourbu foundered
fourvoyer to mislead; **se —** to go astray
fracasser to shatter
frayer, se to break through
frayeur f. fright
froisser to wrinkle
froncer to wrinkle, pucker; **— les sourcils** to frown
frondaison f. foliage

front m., de — abreast
fuir to flee
fulgurant flashing
fur, au — et à mesure (in proportion) as
fureteur prying

gâcher to spoil
gager to pay wages to
galérien m. galley slave
galonner to ornament with braid
garder, se to take care not to
gars m. lad
gaspiller to waste
gâter to spoil
gaucher left-handed
gazouillement m. prattling
gémir to groan
gémissement m. moan
gêne f. bother, annoyance
gerbe f. sheaf
gibier m. game
gîte f. list (of ship)
givre m. hoarfrost
glacé frozen
glaiseux clayey
glissement m. slipping
goélette f. schooner
gonfler to inflate
gosier m. throat
gouffre m. abyss
goulu greedy
gourmand greedy
gré m. will, pleasure; au — de at the mercy of; savoir — à quelqu'un to be grateful to someone
grelotter to tremble
grésiller to sizzle
grève f. strand
griffe f. claw
grimper to climb

grincer, — des dents to grind, gnash, one's teeth
griser to make someone tipsy, intoxicate
grogner to grunt
grossier coarse
grouillement m. swarming

*happer to snatch
*hauteur f. haughtiness, arrogance
*hérissé bristling with
*hérisson m. hedgehog
*heurter to knock against
*houle f. swell
*houleux rough (sea)
huis m. door
humeur f. mood, temperament; —s noires fits of melancholy
*hurler to howl, roar

immonde foul
impitoyable pitiless
imprévu unexpected
incontinent forthwith, straightway
indice m. sign, indication
inédit unpublished
ineptie f. ineptitude
inépuisable inexhaustible
infecté foul
infirmière f. nurse
injure f. insult
inlassablement tirelessly
inouï unheard-of, shocking
inquiétant disturbing
insu, à l'— de without the knowledge of
insurger, s' to rebel
internat m. boarding school
intervertir to invert, transpose
ipé m. ipecacuanha
ivre drunk

jaillir to gush, burst forth
jaillissement m. spouting forth
jalonner to mark out
japper to yelp
joug m. yoke
jouissance f. enjoyment, pleasure
journalier daily
jurer to clash

laborer to plow
lambeau m. rag, shred
largeur f. breadth
lasser, se to weary, tire
lécher to lick
lessive f. washing, linen
lester to ballast
lézarde f. crack
lézarder to crack
liaison f. connection
liège m. cork
lieu, tenir — de quelque chose to take the place of something
lièvre m. hare
longer to skirt (coast, bank, etc.)
louer to hire; **travailler à la louée** to work for hire
louer to praise; **se — de** to be satisfied with
lubie f. whim
lustrer to polish

mâchonner to munch
maître d'œuvre m. foreman
maladif sickly
malais Malaysian
malsain unhealthy
malveillant malevolent
manchon m. mantle, sleeve
manne f. manna
marais m. swamp

mare f. stagnant pond
maringouin m. sandfly
marsouin m. porpoise
masure f. hovel
mât m. mast
matelas m. mattress
maudit accursed
méfier, se to suspect, mistrust
mélange m. mixture; **sans —** unalloyed, pure
ménager to spare, save
méprendre, se to be mistaken
mépris m. scorn
mépriser to scorn
merde f. excrement
mignon delicate, cute; **péché —** pet, darling sin
mise au point f. tuning
mobilier m. furniture
modelé m. relief
moissonner to harvest
moissonneuse-lieuse f. sheaf-binding harvester
montagnes russes f. pl. roller coaster
monter, se — la tête to get excited
morpion m. crab (-louse)
mouette f. gull
moule m. mold
mousser to froth
moyennant thanks to

nature true to life
niaiserie f. foolishness
nicher to nestle
nier to deny
nommément namely
nopal m. cochineal cactus
nouer, se to knit (of a plot)
noyau m. kernel
nuire to harm, hurt
nuque f. nape of the neck

œil m., coup d' — glance
office m. duty; faire quelque chose d' — to do something as a matter of routine
oie f. goose
or now
orgueil m. pride
ouate f. absorbent cotton
ouï-dire m. hearsay
outiller to equip
outrecuidance f. presumptuousness

paillette f. spangle
palissandre m. Brazilian rosewood
panne f. breakdown; en — hove-to (of sails)
pansement m. dressing (of a wound)
parcours m. length, course
pare-chocs m. bumper
parer to ornament, adorn
paresse f. laziness, sloth
paroi m. wall
part f. share; faire la — de to make allowance for
partant consequently
parti m. decision; prendre — to come to a decision; — pris obstinate opinion, settled prejudice
parvis m. square (in front of a church)
passer, se — de to do without; passe encore that's acceptable, I can't complain
pâte f. dough
patte f. paw
pavillon m. flag; battre — to fly the flag
péché m. sin
peiner to toil
pelage m. coat (of animal)
pèlerinage m. pilgrimage

pendre to hang
pestiféré m. plague-stricken (person)
phare m. headlight
pion m. junior master (in charge of preparation)
piquant m. quill
piquer to dive; se — to take offense
plainte f. complaint, lamentation
plaisanter to joke
plaisanterie f. joke
planche f. board, (printed) plate
plaque f. sheet (of metal)
plastique f. plastic art
plat flat
plein, pleines eaux deep waters
pli m. bent, habit
plus, tout au — at most
pneu m. tire
poil m. hair (of animal)
pointillé m. dotted line
portatif portable
portée f. reach, consequence; à — within reach
potager m. kitchen garden
potiche f. vase
pouf m. hassock
pourlécher to lick over
pourrir to rot
poussé deep, searching (study)
poussée f. thrust
préalablement beforehand
préfet m. prefect
prélever to levy
prendre à, s'en to find fault with
pressentir to have an inkling of, an intimation of
pression f. pressure; faire — sur to exert pressure upon
prétendu so-called
preuve f., faire sa — to prove oneself

prévoir to foresee
priser to value, treasure
procès-verbal m. report
promettre, se to look forward to
propre m. characteristic, attribute
provenir to come from
pudeur f. modesty
puits m. well
pulluler to be found in profusion
putain f. whore

quelque however
quête f. quest

raccrocher to attach
raide straight
rajeunir to rejuvenate
ralenti slow
ramage m. song (of birds)
ramoneur m. chimney sweep
rangée f. row
ranimer to revive
rassembler to gather, assemble
raté m. failure
rattraper to make up, recoup
rature f. erasure
ravitaillement m. provisioning
rebuter to repulse; se — to balk at
récitant m. narrator
récolter to gather
reçu recognized, admitted (opinion)
redresser to set straight
refroidir, se to grow colder
régir to rule, govern
réglé methodical
rein m. kidney
rejaillir to rebound
rejeter to cast off, spurn
relâché loose
relâchement m. loosening
relâcher to put into port

relever to notice, point out
remblai m. embankment
remorqueur m. tugboat
renfermer to contain
renier to deny
renommée f. fame
renté of independent means; être
  bien — to be well off
renvoyer to refer to
reporter, se to refer to
repousser to grow back
reprendre to retake; se — to correct
  oneself
reprise f., à maintes —s several times
répugner à quelque chose to feel a
  loathing for
requin m. shark
réseau m. network
réserve f. reservation; sous —s with
  reservations
ressentir to feel, experience
revanche f., en — on the other hand
revêtement m. covering
revêtir to take on, assume
révulser, se to become irritated
risée f. mockery
rôdeur m. prowler
rogner to pare
romanesque like a novel
rond, tourner — to run true
ronflement m. rumbling
ronger to gnaw
ronronner to purr
roseau m. reed
rosée f. dew
ruer, se to hurl oneself
ruisseler to stream, run
rumeur f. noise
rutiler to gleam

sablier m. hourglass

saccager to throw into confusion
sage-femme f. midwife
saillant salient, striking
salut m. salvation
sangler to strap
sape f. underground fortification
savant learned
science f. knowledge
secousse f. jolt
sein m. breast
sénestre left-handed
serre f. greenhouse
sève f. sap
siffler to whistle
signaler to point out
sillage m. wake
sillon m. furrow
sillonner to furrow
singe m. monkey
sinon if not
sommer to summon
sondage m. probing
sonder to probe
souche f. stock
souci m. care
souhait m. wish, desire
souligner to underline
soupçonneux suspicious
sourcil m. eyebrow
sourcilier superciliary (muscle)
sournois sly
sournoisement slyly
soustraire to preserve (someone from something)
suie f. soot
suite f. series, coherence
suppléer to substitute, replace
surgeon m. sucker (of a plant)
surmenage m. overexertion
susciter to raise
sylvestre sylvan

tache f. spot
talus m. embankment
tampon m. wad
tanguer to pitch (of ship)
tant, si — est que if indeed
tapis m., — roulant endless belt
tare f. depreciation, loss in value (due to damage or waste)
tasser to squeeze together, compress
tâtonnement m. feeling one's way, experiment by trial and error
tatou m. armadillo
teinte f. shade (color)
témoigner to show
tenir, — bon to hold out, stand fast; — à to be anxious to, be a result of, due to; s'en — à to limit oneself to; se — parole to keep to one's word
terme m. terminus
termitière f. termite hill
ternir to tarnish
terrain m. ground
tissu m. fabric
tôle f. sheet metal
tombant sloping
tordre to twist
torpédo f. open touring car
tour m. trick
tourbillonnement m. whirling
tracas m. worry, trouble
traîner to drag out (speech, etc.)
trait m. feature, stroke
trancher to cut (off)
traverse f. railroad tie
trébucher to stumble
tremper to soak
trêve f. respite
tribord m. starboard
tricher to cheat
trimard m. the open road (of a wanderer)

tripatouiller to tamper with
trompeuse deceptive
trou m. hole
trouée f. breach
trouer to pierce
type m. fellow, guy

ultérieur later

valétudinaire valetudinary, of feeble
  health
vanter, se to boast
vase m., — **clos** retort
vau, à vau-l'eau downstream; **aller à
  vau-l'eau** to go to pot
velouté velvety
velu hairy
verdir to turn green
verrière f. stained glass window
vidange f. draining (of cess pools,
  gas tanks, etc.)

vigneron m. vine grower
vilain ugly
virage m. turn
virer to turn; — **de bord** to tack
viser to aim at
vivier m. fish-well (of a boat)
vivres m. pl. provisions
vociférant vociferous
voile f. sail
voilure f. sails (of ship)
volant m. steering wheel
voleter to flutter
vouloir, en — **à quelqu'un** to be
  vexed with, have a grudge against
  someone
vraisemblable probable

wagon m. railroad car

zézayer to lisp